Mexicas y Mayas

Por la Superación del Ser Humano y sus Instituciones

Otilia Meza

Leyendas Mexicas y Mayas

LEYENDAS MEXICAS Y MAYAS

Portada:
Heraclio Ramírez

Dibujos:
José Narro

Primera edición: 1991
Quinta reimpresión: 1996

Printed in Mexico
Impreso en México
ISBN 968-38-0241-9

Indice

MEXICAS

MAYAS

Citlactli
(estrella)

MEXICA

En la gran sala del guerrero Xiuhtómatl —tomate azul— muy estimado del emperador meshica, se hallaba reunidas en gran cantidad la casta privilegiada de los guerreros: los caballeros Tigres y los caballeros Aguilas. El hermoso palacio de tan distinguido señor, estaba situado al sur de la gran Tenochtitlán, muy cerca de donde partía la calzada de Iztapalapa —lugar en el agua salada—, la que conducía a los pétreos muros del Fuerte de Xóloc— gemelos.

Ese día era el final de una serie de festejos realizada por el noble guerrero, como culminación del éxito obtenido en su última campaña guerrera. Entre los invitados se encontraba el príncipe Catzintli/-Señor de Cuetzalán, quien el día anterior había presenciado cómo después de la danza de la victoria, se había obligado a los prisioneros a morir de tanto bailar, mientras los vencedores lanzaban gritos de júbilo y se entregaban a toda clase de excesos.

Y esa noche, después del pródigo banquete, el guerrero Xiuhtómatl, guardaba una grata sorpresa a sus invitados, los que cómodamente sentados en icpalli —asientos— sobre los que se habían colocado mullidos cojines y extendidas a sus pies, bellas pieles de sedosa pelambre, que ansiosos esperaban lo que tan misteriosamente les había insinuado el anfitrión.

La estancia había sido iluminada pródigamente con encendidas teas; el piso delicadamente esterado, cubierto de pétalos de flores, y estratégicamente colocados los braserillos de los que se escapaban suaves aromas y delicados perfumes.

No tardaron en escucharse las flautas y el murmullo delicado de voces con acompañamiento de varios tamborcillos de parche.

De pronto, como aparición de ensueño surgió Acasuco —flor acacia—. Caminaba despacio entre la niebla de perfumes e incienso: era esbelta, de armoniosas líneas, sin más vestimenta que las ajorcas de sus pies, los brazaletes de sus brazos y la corona de flores de su cabeza.

En la sala del guerrero Xiuhtómatl se hizo el silencio.

En medio de la alfombra de flores quedó inmóvil; parecía una figura de barro, una diosa; luego se fue moviendo, moviendo, ondulando la cascada de su negra cabellera y sus brazos parecían implorar amor, sus manos se retorcían angustiosas, su cuerpo de flor se estremecía, se agitaba, y sus senos temblaban, en tanto su vientre tomaba forma de ánfora.

Los hombres empezaron a respirar agitados; la música se hizo lasciva, y los pies de Acasuco se abrían y cerraban con extraño, prodigioso y fascinante ritmo.

La mujer plena y seductora se acercó al guerrero Xiuhtómatl y le provocó con deseo, para luego arrojarle al rostro los pétalos de las flores que llevaba prendidas a la cabellera, provocando los gritos de los invitados, para acabar por dirigirse a los señores principales, a quienes incitaba con su sensual cadencia.

Acasuco, como final de su danza, toda ella se replegaba, se estremecía al influjo de invisibles caricias, y frenética, jadeante, temblorosos los senos y palpitante el vientre, recorrió toda la sala, para al fin desaparecer tras el humo de los braserillos.

Cuando varios de los invitados pretendieron ir tras ella, apareció un grupo de hermosas cuianime —mujeres de placer— con los torsos descubiertos para solaz de los allí reunidos, no tardando las bellas mujeres en sentarse en las rodillas o al lado de los comensales.

Todos los allí presentes bebían con regocijo. La música prosiguió discreta y suave y las bellas maqui pusieron empeño en dar contento a los invitados del gran señor.

Y mientras el regocijo fue culminando en general orgía, Acasuco se fue a refugiar al jardín de la casa del guerrero meshica.

El jardín era hermoso, lleno de árboles floridos, lleno de hiedras, lleno de rumor de fuentes, de espacios florecidos, lleno de máscaras de piedra y madera representando animales y mujeres lascivas, lleno de corrientes de agua y pequeñas cascadas bordeadas de gigantescos helechos y grandes hojas: y hasta allí, tras de un macizo de hermosas dalias, Acasuco se puso a llorar.

El príncipe Catzintli que, deseoso de aire puro, había dejado discretamente la sala de la orgía, buscando el frescor y el silencio del jardín, al escuchar los sollozos se detuvo.

La ciudad estaba quieta y sumida en la noche. Inmóvil miró lo profundo del jardín, y de él surgió otro sollozo.

El príncipe Catzintli con cautela y sin ruido se acercó al macizo de las floridas dalias de donde había partido el sollozo, y allí descubrió a la manceba del guerrero anfitrión, a la hermosa Acasuco, aún desnuda, de rodillas sobre la tierra humeda, inclinada la cabeza en actitud de infinita tristeza.

Conmovido por su dolor, el príncipe Catzintli colocó suavemente sus manos sobre la suelta cabellera de tintes de sombra.

La mujer dejó de llorar, elevando su rostro empapado en lágrimas, y al ver el sereno semblante del joven, no pronunció palabra.

Pero el príncipe Calzintli, separando con ternura el cabello del bello rostro de Acasuco, le dijo:

—El hombre bien nacido no puede ser indiferente al llanto de una mujer. Sea cual sea tu pena mi corazón desea mitigar tu aflicción.

—Lloro porque mi destino es cruel, noble señor ¡¿Cómo no llorar, si apenas cuento dieciséis años y la muerte me espera?!

—¿Por qué decir la muerte?

—Yo vengo del cihuacalli— casa de las mujeres desenvueltas. —El guerrero Xiuhtónatl, después de una victoria, fue a pedirme a las cuidadoras de esa casa, y por la noche, para evitar el escándalo y la indiscreción fui llevada hasta su casa, para ser recogida al amanecer ¡Yo era el premio a su valor! Pero ese galardón a sus méritos guerreros se repitió varias veces hasta que un día solicitó al cihuacalli vivir conmigo por varios meses, ya como su manceba de pie.

—¿Y por eso lloras?

—No, señor, lloro porque ha llegado el día en que cansado de mi presencia me ha destinado al sacrificio.

—Pero, ¿por qué habiendo tantas jóvenes bellas en esta casa te escogió a ti?

—El iba frecuentemente al cihuacalli a presenciar los bailes desenvueltos.

—¿Y cómo llegaste a ese lugar?

—Soy la hija del príncipe Teniztli, señor de Cempoala. En la guerra que tuvo mi pueblo con los meshicas, casi todos los de mi raza fueron muertos o hechos prisioneros; casi desapareció la flor de nuestros guerreros, arrasados nuestros pueblos y las mujeres jóvenes y bellas, traídas como botín de guerra, destinadas a la prostitución. Fue así como por joven y hermosa, además de sangre real, me encerraron en el cihuacalli —escuela de mujeres destinada a la prostitución. Allí me cambiarón el nombre ya no sería Acasuco —flor acacia— sino Citlactli —estrella. Allí me enseñaron la música, el baile, el canto. Allí me obligaron a adorar a la diosa Xochiquetzalli —diosa del amor— como nuestra protectora y a Tlazolteotl —diosa de los amores impuros; y ya no volví a ser la honesta y virtuosa princesa totonaca, sino una cuianime, una maqui llamada Citlactli, experta en bailes desenvueltos como el llamado cuecuehcuicatl —baile del cosquilleo o comezón o el llamado cuicayán —la gran alegría de las mujeres. No te imaginas, príncipe cómo lloré por días y por meses. Se me golpeaba, no se me daba alimento ni agua. Yo no quería aprender obscenidades, yo no quería bailar desnuda; pero el Destino me doblegó, ahora soy experta, tú lo viste. Nadie como yo para imitar el movimiento de las flores y los animales, nadie como yo para exaltar los deseos.

El príncipe Catzintli, escuchándola, se sintió desconcertado.

Allá, en la sala del guerrero Xiuhtómatl proseguía la orgía.

En el jardín rodeado de sombras y misterios, él y ella. Ella, que sabiamente había desbocado los malos instintos de los invitados del noble anfitrión, le hizo latir apresuradamente el corazón, y una llama abrasaba su sangre y le enardecía los sentidos, por lo que tomándola de la mano suavemente le dijo:

—Ven, vámonos a mi pueblo.

Y en silencio, con cautela, dejaron el jardin del palacio del guerrero tan estimado del monarca meshica.

Al amanecer, en andas entoldadas que seis tamenes —cargadores— soportaban, iba el príncipe Catzintli acompañado de una bella mujer ricamente vestida.

La comitiva tomó por la calzada de Tepeyacac —camino que conducía a Tenochtitlán a la costa, pasando por Tepeyac— la que estaba muy concurrida por ser día de tianquiztli —mercado— en Tlatelolco —mogote.

La joven pareja a cada momento se encontraba con muchos viandantes que llevaban su mercancía al gran centro comercial.

Hombres modestos cargando cestas llenas de pescado, flores, verduras, leña, aves, mantos, bateas, animales de caza, esteras y árboles florecidos. Pero también transitaban por la calzada importantes señores seguidos de su cortejo, damas de alta alcurnia rodeadas de esclavas, y sacerdotes y discípulos, que al ver la altivez del príncipe Catzintli y la belleza de Acasuco, sonreían afectuosos, mientras los humildes se inclinaban respetuosamente ante ellos.

Y el príncipe de Cuetzalán, por amor a Acasuco, iba camino de Cempoala, a la región de su amada, alejándose de la hermosa Tenochtitlán, la ciudad dormida entre círculos de esmeralda, ¡iban los dos en busca de la felicidad!

Tlacahxóchitl

flor de vara (tulipán)

MEXICA

¿Cuántas y cuántas flores del maravilloso Tonaxquastitlan-vergel meshica han recorrido orgullosas el Universo?

No son pocas las naciones que han adoptado como símbolo de su nacionalidad algunas de nuestras más bellas flores.

Holanda ha hecho suya la hermosa Tlacahxóchitl- flor de vara —tulipán— la que en esas tierras lejanas ha encontrado cariño y admiración, mas el tulipán de la tierra de los aluviones y los diques, que es tan famoso, no es más que nuestra humilde Tlacahxóchitl.

He aquí su leyenda:

Las sombras nocturnas, envueltas en tocas negras parecían danzar por calles y senderos.

Sus largas siluetas agitábanse extravagantes y un profundo silencio invadía a la tierra.

De pronto surgió en oriente una línea luminosa; era la aurora que se acercaba desplegando sus galas, haciendo huir en desbandada las sombras danzarinas que se escondían en rincones y hondanadas.

Poco a poco el cortejo de nubes fue llegando y seres y cosas se inclinaron ante la Señora del Alba que radiante de felicidad sonreía a cosas y seres.

Su paso era suave y a cada momento se agitaba su vestido de tonos delicados y sobre sus cabellos luminosos lucía flores rosadas.

De pronto se oyó surgir del espacio ¡Aleluya! ¡Aleluya! y tras las voces cantarinas, el cielo se iluminó derramando un halo de luz en torno de Tonatiuh —sol— que llegaba, arrojando su brazo fuerte de invencible guerrero sus dardos, en dirección de los cuatro puntos cardinales.

En el valle las nubes azulinas se fueron más allá de los altos picachos, en tanto que sobre la tierra, las flores y las aves despertaban.

Fue en esa hora cuando el príncipe Atótotl —pájaro de agua— regio en sus arreos, seguido de su séquito de servidores y guerreros, dejó el reino chalca en busca del feroz océlotl —tigre— que le aseguraron, mañana a mañana bajaba a calmar su sed en las aguas tranquilas del lago de Chapultepec —cerro del Chapulín.

Con sigilo de cazador, el príncipe llegó al lago que semejaba una regia turquesa dormida bajo los venerables ahuehuetes —sabinos, ancianos del agua—, mas de pronto se detuvo, porque tras un grupo de árboles gigantes se elevaba una voz misteriosa que entonaba un bello canto a Tonatiuh.

Atototl y toda su comitiva sigilosamente se acercaron al lugar de donde procedía tan maravillosa voz, y su asombro no tuvo límites, al descubrir en medio del claro del bosque a una hermosa doncella, que bajo la caricia del sol, danzaba la danza ritual del Dios Sol.

El principe absorto contempló a la bella del bosque y enamorado de su grácil figura, en su cerebro surgió una idea ¡llevársela a su palacio!

La divina Tlacahxóchitl, ignorante de que unas pupilas humanas la observaban, despreocupadamente seguía bailando, sin sospechar que unos ojos ardientes como brasas captaban ansiosamente todos sus movimientos.

Un ruido casi imperceptible hizo a Tlacahxóchitl, interrumpir su danza ¡una rama se había quebrado entre las manos codiciosas del príncipe.

Tlacahxóchitl, asustada, intentó huir; pero dos brazos hercúleos y cálidos le aprisionaron, impidiéndole todo movimiento.

De la núbil garganta se escapó un grito desesperado y rebelde. Sus manos pálidas y sedosas como nardos se prendieron al cuello de su raptor con desesperación de fiera acorralada, mas al comprender que todos sus intentos eran inútiles, la vencida princesa imploró al dios de Oro:

—¡Oh padre Tonatiuh, ven en mi auxilio!

Aquel grito que rodó como hoja impelida por el viento, causó temor al séquito del príncipe; pero a pesar de lo desgarrador de aquella voz, la bella Tlacahxóchitl fue llevada al palacio del príncipe Atototl.

Largas horas de inconsciencia sumieron a la bella del bosque en un tranquilo sueño. Rodeada por esclavas que espiaban su rostro, Tlacahxóchitl había quedado inmóvil sobre el lecho de finas esteras.

Mientras tanto el príncipe paseaba nervioso en la estancia cercana, en ansiosa espera de que la linda niña le llamara con reclamo amoroso, como se lo había asegurado el hechicero más viejo de su reino.

La mañana se hizo interminable para el joven enamorado, y en la estancia de ventanas de transparente tecalli —alabastro— la luz iba tomando tonalidades marinas, cuando Tlacahxóchitl abrió sus maravillosos párpados y enloquecida de amor, salió a los jardines principescos en donde llamó con palabras que destilaban miel a su amado, el dios Tonatiuh.

El príncipe, informado de tal cosa, pálido de ira fue en busca de la niña y al cerciorarse de la verdad de lo aseverado por las esclavas, temblando de coraje, llegó hasta la misteriosa joven y tomándola bruscamente de un brazo la condujo a la estancia más alejada de su palacio.

Tlacahxóchitl, anegada en llanto, imploró compasión:

—Dejadme señor, soy la esposa prometida del dios Tonatiuh, y no puedo consentir en ser vuestra compañera porque sería un perjurio que provocaría el enojo divino.

—Te amo —aseguró el príncipe— te amo tanto que nada impedirá que seas mi esposa, y quiero que sepas que los dioses perdonan y protegen al enamorado sincero que eleva hasta ellos sus oraciones y le hacen sacrificios ansioso de que escuchen su ruego.

—Por caridad, déjame libre, príncipe, tengo que volver a mi bosque, porque mi dios espera verme danzar el rito del amor sagrado.

—Cesa tus lágrimas, porque toda rebeldía es inútil. Y debes de saber que hasta que no consientas en ser mi esposa y la boda se verifique, tú estarás prisionera en esta estancia sin luz.

Y el príncipe cumplió su promesa.

Tlacahxóchitl vivía en una eterna noche.

El tormento de verse alejada de Tonatiuh la sumió en la tristeza y la desolación. Las lágrimas más ardientes bañaban su faz, y desfalleciente de dolor, anhelaba la muerte.

El príncipe Atótotl, al sentirse defraudado en su amor, sintió celos del Dios de Oro, por lo que vengativo, mandó tapar las ventanas de la estancia para que sólo brillara la luz de las teas encendidas. El tiempo transcurrió lento para la pobre prisionera, la que pasaba las horas acurrucada en su lecho, con la tez empalidecida y la boca marchita, lo que alarmó de tal manera al príncipe, que al instante pensó en rodear de lujos a su bella amada.

No tardaron en llegar orfebres y decoradores de lejanas tierras, los que al momento engalanaron la estancia con doseles, plumería, esteras muy finas y bien labradas, matas coloreadas con estampas grecas, braserillos en que se quemaban las maderas perfumadas y mil primores de oro y plata.

Mas la princesa, indiferente a todos los tesoros reunidos en su torno, siguió inmóvil en su lecho.

Tal desprecio no desilusionó al príncipe, quien mandó llamar a las esclavas para que la engalanaran, en tanto que danzarinas de la corte ejecutaban para ella sus más hermosas danzas. ¡Pero todo en vano! Tlacahxóchitl nada quería, y sólo daba señales de vida, cuando altiva trataba de alejarse de todo aquel despliegue de lujo.

El príncipe, compadecido de su dolor, accedió a que no se le importunara más con danzas y lujos; pero cuando ella quedó sola, desgranó a su oído las más bellas endechas de amor.

—Doncella muy preciosa, en vano he implorado a los dioses doblegen tu orgullo, arrojen de tu pecho, como el viento arroja lejos de los campos la tierra seca, el amor que sientes por el dios Tonatiuh, y todo porque no puedo vivir sin tu amor, porque si tú niegas esa dicha a mi existencia, será como bosque sin rumores, como campo sin flores, pájaro sin arrullos y cielo sin esplendores.

Doncella muy preciada como gema de gran precio, es justo sepas que tu rostro bello como flor es la alegría de mi vida, corola de grata esencia.

Hermosa niña, dame el calor que impedirá que mi existencia sea árida cual campo sin flores.

—Ten compasión de mí, Señor, imploró Tlacahxóchitl.- Tu no debes de hablarme así ¡Oh príncipe! porque mi corazón sólo pertenece al dios Tonatiuh.

—¿Acaso un dios puede corresponder al amor de una doncella de la tierra?

—Tonatiuh me ama —aseguró con orgullo la doncella— y ahora que lo sabes, comprende que jamás podré ser tu esposa, por eso yo te pido me des la libertad, necesito que mi amado señor me bese con sus besos cálidos.

Cuando Tlacahxóchitl acabó de hablar, el príncipe, colérico, dejó la estancia y la doncella después de llorar desconsoladamente se quedó dormida, soñando que Tonatiuh llegaba hasta ella seguido de un gran cortejo de guerreros y el Señor de Oro, tomándola de la mano, la obligaba a bailar con él una hermosa danza plena de amor.

Era tan real la visión que Tlacahxóchitl abrió los párpados y sus pupilas agrandadas por el terror descubrieron el cortejo real que iba entrando a la estancia para ofrendarle las galas de desposada.

A sus pies se fueron acumulando los presentes de amor enviados por el príncipe Atototl: telas tejidas con ricas plumas, engarces de plumas multicolores, pectorales de oro, diademas y joyas de esmalte, braserillos de plata incrustados de gemas, maderas perfumadas, yerbas propicias para expulsar los males del cuerpo, cuentas de jade, sandalias, pieles de feroces animales, regios vestidos de algodón hilado, collares de oro engarzados de piedras preciosas, serpientes de oro, collares de turquesas, ajorcas con áureos cascabeles, redes para el cabello, cadenas extraordinarias, diversas hechuras de animales, vasos de oro y plata labrados con primor, pinturas raras y grandes de paisajes de luna interpuestos que daban el colorido y animaban la figura, géneros de todas clases de algodón, pelo de conejo y pluma, búcaros de hechura exquisita y finísimo barro, diversos en el color y en la fragancia.

Temblando de miedo, la linda Tlacahxóchitl lo veía todo; mas cuando la comitiva hubo desaparecido, rompió en sollozos.

Así la encontró el príncipe, que intentó secar sus lágrimas; pero ella le rehuyó.

Atototl, sin desmayar en su intento, le ofrece como presente una joya de mucho valor, la que arrojó al suelo desdeñosa.

Tal actitud exasperó al señor Atototl, quien enfurecido intenta doblegarla entre sus brazos, cansado de su orgullo y su desprecio. La lucha fue innoble y cruel, mas cuando la doncella intentaba huir, el príncipe se lo impidió, por lo que ella, al descubrir los arreos de guerra del señor Atototl, tomó el cuchillo de obsidiana y mango de oro, y le lo enterró en su corazón.

Tlacahxóchitl, ensangrentadas sus ropas, cayó a los pies de su verdugo. Está herida de muerte, y al comprender que su fin está próximo, llama con reclamo amoroso al dios Tonatiuh.

Al verla así, el príncipe chalca, asustado, salió apresurado en busca de los curanderos del reino.

Tlacahxóchitl agonizaba; la luz de las teas hacía más sombría su muerte. De pronto misteriosamente se rasgó el techo de la oscura estancia, huyendo al instante las sombras. Un haz de rayos luminosos bajó hasta donde la bella doncella yacía agonizante, iluminándola toda. Y tras el haz de rayos luminosos se deslizó Tonatiuh que agradecido de aquel amor tan puro, deseaba besar en caricia de luz el delicado cuerpo de la doncella que tanto le amara.

Al sentir la caricia de amor de su amado, olvidó sus sufrimientos y dichosa sonrió, adquiriendo su cuerpo misteriosamente el vigor juvenil que la muerte le estaba arrebatando, y levantándose ágilmente a pesar de su mortal herida danza al lado del dios, hasta que desfallecida cae muerta a los pies de Tonatiuh.

El Dios de Oro, conmovido, acaricia con sus manos la cabeza inmóvil de su amada y al instante se transformó en una hermosa flor de suave color, Tlacahxóchitl Tlaca-vara, xóchitl- flor de vara.

La enamorada Tlacahxóchitl todos los días busca en el cielo al dios, quien acaricia su cuerpo, y Tonatiuh el dios Sol y Tlacahxóchitl la flor, al través de los siglos, aun siguen amándose.

Atliztaxóchitl

flor blanca (alcatraz)

MEXICA

El príncipe Atliztaxóchitl llegó al bosque donde todo era hermoso y estaba en paz. Llegaba cansado de su largo caminar, por lo que buscó acomodo sobre la raíz añosa de un viejo árbol.

En la soledad, intensamente pensó en la triste realidad de su vida; y después de un prolongado silencio, como inspirado por los dioses, elevó su voz al tiempo que buscaba el cielo:

¿"Acaso es verdad que se vive en la tierra? ¿Acaso por siempre se vive sobre la tierra? ¡Sólo un breve instante se vive aquí! Hasta las piedras finas se resquebrajan—hasta el oro se destroza—hasta las plumas preciosas se desgarran.—¿Acaso por siempre he de vivir sobre la tierra?—¡Sólo un breve instante se vive aquí!"

El príncipe volvió a quedar silencioso; cabizbajo, y cuando más profundo era su dolor, buscó de nuevo la altura azul al través de las ramas de los árboles exclamando: "Esmeraldas y plumas de quetzal en abundancia, son tus palabras y corazón. Tú ves al que sufre— tú das el dolor como das el amor— en instante breve— junto a ti estaré— a tu lado yo estaré."

De pronto ante él surgió un hermoso como pequeño ser, que al observar el asombro del príncipe explicó:

—Yo soy Sahántil, el señor que vive en los acantilados; el señor de la poética travesura: yo corto los pétalos de las flores y las esparzo entre las espumas para que las corrientes se encarguen de conducirlas hasta donde las doncellas hermosas se bañan. Además soy gran amigo de los niños, pues les suspendo lianas resistentes, a fin de que, cuando empiezan a nadar, puedan asirse a ellas. Otras veces enhebro flores rojas en los bejucos, para que los jóvenes y los hombres las ofrezcan a los dioses. Y eso no es todo, cuando caen las lluvias torrenciales, coloco las cascadas al borde de los barrancos. Y sobre todo, soy gran amigo de los habitantes de los bosques. Por eso me tienes aquí.

El príncipe se puso de pie, y olvidándose de sus penas, acabó por identificarse:

— Yo en cambio, vengo de muy lejos, de un reino que se levanta a orillas de un maravilloso lago que es gema azul en medio del acogedor valle.

Allí, al pie del cerro llamado Tecutzinco tiene su reino mi padre; un reino lleno de jardines y suntuosos palacios. Sus ríos y sus cerros son dones de los dioses Benévolos y piadosos. En ese reino yo nací. Mi padre es el rey Anacui y mi madre la reina Tamiyauh. Allí vivía yo feliz entre jardines deliciosos a la orilla del hermoso lago.

Sahántil, curioso, preguntó si aún vivía el rey, por lo que el príncipe aseguró:

—Vive, a pesar de que sus enemigos, una mañana cuando tranquilo dormía bajo un frondoso árbol, traidoras y ocultas manos rompieron todos los diques de sus lagos artificiales inundándose el jardín. Cuando esto sucedió, las garzas, asustadas, huyeron, y los ánades de alas de colores se escondieron despavoridos entre los tules; y el ruido de sus alas, despertó a mi padre, que así salvó su vida. Si hubiera muerto, yo fuera el rey, pues soy el primogénito, ¿sabes? Por desgracia mi hermano menor ansía sentarse en ese trono, y por todos los medios imaginables trata de darme muerte.

Sahantil al notar la tristeza del príncipe heredero, aseguró:

—¡Pero tú serás rey!:

A lo que el príncipe de inmediato aseguró que jamás consentiría en ello, ya que el hombre que llega al poder, con raras excepciones, sólo busca obtener riquezas, honores, mando, poderío, pero nunca la paz.

Sahántil al escuchar las confidencias aseguró:

—¡Pero un rey es un guerrero, y un guerrero nunca piensa en la paz!

A lo que contestó el príncipe:

—Es verdad lo que dices y ésa es mi tragedia. Yo nunca seré rey porque no puedo ser guerrero. Mi padre desde niño me educó en la guerra, y apenas llegué a la edad en que no se es niño ni hombre, cuando me envió al campo de batalla. A esa edad, yo sólo quería cantar a las flores, y a los pájaros, correr tras las mariposas, acariciar las flores, porque yo sólo amaba todo lo bello. Cuando cumplí dieciocho años, mi padre ideó invadir pueblos vecinos, pueblos amigos que ningún mal hacían, sólo que ansiaba extender sus dominios, y lo más cruel, fue que me dio el mando de todas sus tropas, por lo que contra mi voluntad, inicié la guerra, una guerra llena de odio y sangre.
Cuando regresé vencedor, había tal cúmulo de horror en mis ojos, y tal dolor en mi corazón que no pude contenerme, y arrojando a los pies de mi padre el valioso botín, alcé mi voz y en grito desgarrador, asegurando que la guerra era cruel e injusta. Y olvidando que yo era el máximo jefe guerrero, dije que el hombre de armas era el animal más sanguinario de la tierra, asegurando, ante la espectación de todos, que el hombre era peor que las bestias; porque mata sólo por el placer de matar, y que es más cruel que los animales feroces, porque martiriza sin compasión al enemigo, que es su hermano. sólo por solazarse en el dolor ajeno. Y ante el asombro de mi padre, ante el dolor de mi madre y el despre cio de los nobles y guerreros, enérgico acabé por afirmar que los llamados héroes no son más que asesinos disfrazados.

Sahántil, tras escuchar al príncipe, muy serio aseguró:

— Ya me imagino el asombro de tu pueblo y la ira de tu padre.

— Me maldijo públicamente, pero nada me importó. Llegaba asqueado del campo de batalla lleno de sangre y cubierto de cadáveres. En todo momento escuchaba el grito aterrador de los heridos, los lamentos de las mujeres y el llanto sin consuelo de los niños. Y a pesar que había llegado cargado de riquezas y prisioneros, vencedor de tres reinos, me llamaron cobarde —Atliztaxóchitl, hizo una pausa, para luego proseguir— Entonces quise olvidar, ¡olvidar! y olvidándome del agua pura, bebí en jícara de oro el embriagante Neutli; luego mi madre me quiso casar con una princesa muy rica a quien odiaba, y no pudiendo soportar más, hui del reino de mi padre y caminé sin rumbo, hasta llegar a la tranquilidad de este bosque.

Aquí todos te queremos— aseguró Sahántil—, aquí vivirás tranquilo, encontrando la paz tan ansiada por tu herido corazón. Pero yo te pregunto:¡ ¿No tratará tu hermano de localizarte para darte muerte?! ¡El no podrá ser rey hasta no comprobar que has muerto y te odia tanto!

—No lo creo, aseguró el príncipe. Tal vez a estas horas, mi padre ya hizo correr la versión de que he muerto en el campo de batalla y mi madre llorará. Pero ambos, te aseguro, ya pensaron que mi desaparición era lo mejor que pudo haber sucedido. Mi hermano menor no tardará en ocupar el trono de mis mayores, a pesar de que un rey no es más que un hombre con muchos deberes que cumplir y muchos enemigos que eludir.

Sahántil, después de escuchar la historia del príncipe le invitó a compartir su misterioso albergue de la barranca, a lo que el príncipe gustoso aceptó.

Así llegaron a la mansión conocida como el Palacio del Faisán Blanco, debido a que en la entrada, el señor de los acantilados, había grabado en tintes blancos, un faisán, cuyas propiedades mágicas, le permitían cantar a mitad de la mañana.

Cuando llegaron ambos a su interior, el príncipe observó que era amplia la mansión de su amigo, que tenía paredes color ámbar y el piso estaba cubierto por un alfombra de musgo suave como la espuma.

Sahántil así vivía en esa mansión de ensueño abierta en la abrupta roca, casi cubierta a las miradas indiscretas por las ramas que crecían a su gusto, las enredaderas alargaban sus flexibles tallos aprisionando los fuertes árboles y la hierba bajo su sombra crecía al azar, abundando la flor por doquier, perfumándolo todo.

El príncipe en ese acogedor refugio se olvidó de todas sus penas. Allá, lejos, quedaba el mundo con sus ambiciones y sus odios. Allí todo era paz, todos eran hermanos. La mariposa se hermanaba con la libélula, el pájaro con la paloma, la flor con el árbol, la abeja con el moscardón. Y en medio de ese mundo de paz y respeto, rodeado de plantas, el manantial cantarino, veneraba a la lluvia, al aire y al sol.

Una noche de luna, el príncipe salió a respirar hondo el perfume emanado de la naturaleza. Sahántil a su lado le hablaba de los misteriosos habitantes del bosque; los sochimanques, genios de las flores, la Apozomatlatl, flor de espuma, las habitantes de los ríos, los Tepepanme, genios de las montañas, Achane, el señor de la morada debajo del agua; pero sobre todos ellos —le decía—, amamos a la señora Atlatonán, nuestra madre de las aguas. Oyéndolo, Atliztaxóchitl recordó que de pequeño, su madre la reina le hablaba de esos habitantes de los ríos, pequeñitos y juguetones llamados chaneques y del príncipe de las flores llamado Xochipilli, a los que él nunca había visto.

Sahántil, sonriente, le aseguró que sus ojos lavados con el agua de la fuente de la ilusion, no tardarían en ver cosas maravillosas.

—Entonces.—le dijo— sabrás a la luz de las estrellas el misterio de las fuentes y del lago. Allí existe una bella señora como rayo de luna, y delicada como gota de rocío. Ella es la señora buena de este bosque; ella se desliza entre las flores; pero no intentes acercarte a ella porque entonces desaparecerá y sólo hallarás las sombras de los álamos agitados por el soplo del viento. Ella, ¿sabes?, nos ha enseñado, amorosa, todos los secretos del bosque; el idioma de los perfumes y los colores. El lenguaje de las flores y los árboles. Por las noches, las mariposas le cuentan sus penas, los pájaros le narran los chismes del bosque, y las hojas en su honor, entonan con dulzura gratas, canciones de amor.

Y así día tras día, el principe Atliztaxóchitl, al lado de su buen amigo Sahántil, pasaba deliciosos momentos, pero un día, un travieso e irisado colibrí, llevó la triste noticia.

El hermano de Atliztaxóchitl, al frente de un numeroso ejército, había partido del reino del rey Anacui con el perverso deseo de localizar el escondite de su hermano, el heredero del trono, y matarlo, para que al llevar su cuerpo a la ciudad, sus padres y los súbditos de tan importante reino quedaran convencidos de que muerto el primogénito y el heredero, sólo él tenía derecho al trono.

Cuando lo supo el príncipe, sintió profunda pena. Si ya había renunciado a todo, ¿por qué ese cruel deseo de su hermano menor? ¿Por qué no dejarlo vivir en paz?

Todo el bosque al enterarse de la noticia se estremeció de angustia. ¡Lo matarán! ¡Lo matarán!, se escuchaba por doquier. ¡Hay que salvarlo!

Y tocó a Sahántil el que propusiera se invocara a Atlatonán, la sabia señora de las Aguas, para que ayudara a salvar al príncipe.

Al conjuro de los ruegos de todos los habitantes del bosque, tan gran señora dejó su mansión de las aguas para ayudar gustosa a salvar al príncipe de las iras de su cruel hermano.

Atliztaxóchitl, Blanca Flor, dormía apaciblemente en el acogedor como tibio refugio del señor de los barrancos, cuando allá junto al lago, reunidos todos los seres del bosque en torno de la señora Atlatonán, se discutía la manera de cómo salvar al príncipe su amigo.

Y fue después de mucho discutirlo y pensarlo que se llegó a la conclusión de que al hijo de reyes se le daría a beber el licor del sueño, para que su cuerpo ya insensible fuera depositado a la orilla del reino de la señora de las Aguas, convertido Atliztaxóchitl, el eterno enamorado del rocío y del sol.

Y no tardó mucho que a la orilla del agua cristalina surgiera la blanca flor, el que todos los días en el espejo de las corrientes bullangueras o en la quietud de los lagos, gusta de recrearse de su galana figura.

Atliztaxóchitl, Blanca Flor, el príncipe, desde entonces yergue su viril realeza de orgulloso guerrero ancestral, sobre la tierra meshica, y su alma blanca, su alma buena y su alma bella, son orgullo de nuestra raza.

Huapactzin
(señor vigoroso)

MEXICA

El joven Huapactzin, aquel de mirar amoroso y de porte altivo, se hallaba soñador dentro de su rica prisión.

Catorce meses hacía apenas que feliz y lleno de ambiciones guerreras se hallaba en su patria; trece que había sido apresado en una siniestra batalla por un Yaoquizqui —guerrero— más afortunado que él, y doce que, debido a su gallardía y elegante figura había sido escogido para representar durante un año al dios Tezcatlipoca —Espejo humeante.

En vano eran el lujo y las alegrías de que lo rodeaban sus custodios, pues en las noches de insomnio, el fantasma de la muerte le asaltaba, sufriendo solo, porque en la lejanía quedaban desoladas, su madre, su hermana y algo no menos querido, algo bello y dulce que confiada le había visto partir al campo de batalla, llena de ensueño y esperanza, mas por desgracia hacía tiempo que todas esas ilusiones se habían despedazado cual nítidas corolas. El infortunio las había pisoteado; ahora era un infeliz cautivo dedicado al capricho de una cruel religión, inmensamente cruel; por ello, ni las constantes fiestas, pese a los esfuerzos de sus custodios, ni el constante tañer de las flautas habían podido alejar de su corazón la pena inmensa que continuamente le embargaba.

Doscientos veintiseis días había vivido en constante zozobra y en continua alegría, siempre cercado por el presentimiento de su próximo fin. Aunque ya estaba encallecido el pecho por las frecuentes penas, no por ello dejaba de estar entristecido y acongojado al notar la loca carrera de los días.

Las cuatro esposas, jóvenes y bellas, le acompañaban desde hacía diez días, y aún estarían con él otros tantos; pero para el mancebo eran un martirio las caricias forzadas de las desposadas, pues tendría que morir irremisiblemente en un día rosado y alegre.

Como una ráfaga pasan las penas y las alegrías, todas las cosas llegan y se van como enjambre de visiones fugitivas, de las cuales en vano se persiguen sus revuelos.

Así, el infeliz cautivo, desconcertado y pesaroso, escudriñó la acompasada palpitación de la vida con la misma angustia con que el náufrago prende su mirada enloquecida en la silueta blanquecina de una lejana vela que ondea en la desierta inmensidad del mar.

En vano buscó el atormentado un anuncio de esperanza, en vano fue que sus ojos se agrandaran en un aliento de vida, pues la hora se acercaba. Era el 19 de mayo, víspera del fin de su existencia.

Con la mirada repleta de piedad había presenciado cómo los señores habían llevado al dios, lujosísimo vestido nuevo, que quitado el anterior había sido guardado en la petaca en donde se tenían guardados los armamentos y las joyas divinos.

El templo ya estaba adornado con banderas y quitasoles de plumas; después de terminado el adorno del ídolo, fue levantada la cortina y a los ojos profanos de los muy escogidos nobles, quedó a la vista en el oscuro y escondido recinto, el dios sobre el altar, todo cubierto de riquísimas mantas y bajo dosel de plumería. Las paredes todas estaban adornadas con conchas de colores y el techo pintado policromadamente.

Bajó Huapactzin seguido de sus guardianes, acompañando al sacerdote Titlacahuan —nosotros somos los servidores— que iba vestido con un traje igual al del dios. Ambos tañían llorosas flautas a cuyo eco todos se postraban tocando la tierra con los dedos y llevándolos a los labios, implorando llorosos la protección divina.

Por la noche, ante la tragedia de su vida, el cautivo sintió que su fantasía se encrespaba lo mismo que una rebelde ola; pero sus sueños de libertad quedaron rotos y esparcidos en su destino.

Al otro día, una niebla rosada iba bajando hasta la tierra semejando brumas boreales en paisaje marino. Era el amanecer del 20 de mayo ¡La fiesta Tozcatl! — nuestro asado. Fiesta de collares de maíz tostado.

Una ráfaga de tristeza cortó toda esperanza y el último coloquio de sus recuerdos se suspendió en sus pupilas renegridas en las que se posó la humedad de sus sufrimientos.

Con sus caricias y sus cantos las jóvenes esposas querían adormecer su dolor; pero allá afuera estaba el hermoso templo, de forma piramidal, por cuyas ochenta gradas rodaba como un eco la oración.

"Dios de Tierra, abre la boca con hambre de tragar la sangre de muchos que tendrán que morir en la lucha. Los cielos y la tierra quieren regocijarse porque tendrán convite de sangre y carne de los hombres que morirán en esta guerra, pues nosotros no dudamos que a la guerra se va a morir; porque ciertamente a esto nos enviaste a la Tierra para que con nuestra sangre y nuestra carne se le dé de comer al Sol. ¡Oh señor, humildísimo señor de las Batallas, emperador de todos y cuyo nombre es Tezcatlipoca, el dios invisible e impalpable! Amorosos te suplicamos que aquel o aquellos que permitieres morir en la guerra, sean recibidos en la casa del Sol, allá en el cielo y, con amor y honra, sean aposentados y colocados entre los valientes y famosos que han muerto en la batalla.

"En este gran día dedicado a tu memoria, humildes." te pedimos nos des habilidad para que seamos grandes padres y madres de la gente de guerra que anda por los campos y los montes; que suben por los riscos y descienden por las barrancas, pues en tus manos ha de estar el sentenciar a muerte a enemigos, y también toca a ti el distribuir las dignidades nuestras en los oficios y batallas de la lucha que como privilegio hemos de traer barbotes y boyas en la cabeza. ¡Tócate también repartir orejeras, brazaletes, collares, ajorcas!. A ti toca declarar la privilegiada manera de traer los maxtín —fajas puestas sobre las caderas— y mantas que a cada uno corresponden."

"Tu clemencia ha de dar licencia a los que han de usar y traer piedras preciosas, turquesas y plumas ricas en los Itotiliztín —bailes, quienes han de usar collares y joyas de oro, todo lo cual son dones delicados y preciosos que salen de tus arcas y que hacen merced a los que se distinguen en las hazañas de la guerra.''

''Te rogamos asimismo hagas merced de tu largueza a los demás soldados bajos, dales algún abrigo y alguna posada en este mundo; hazlos intrépidos y osados y quita toda cobardía de su corazón para que con gusto no sólo reciban la muerte sino que la deseen y la tengan por suave y dulce, que no teman a las macanas y a las saetas y que todo esto lo tengan por cosas delicadas como las flores y los manjares, sin temer ya con ello los gritos y los alaridos de sus enemigos.''

''Y por cuanto a ti, señor de las Batallas, de cuya bondad dependen la victoria o el desamparo, no tienes necesidad de que nadie te dé consejos; sólo te suplicamos desatender y emborrachar a nuestros enemigos para que se arrojen en nuestras manos sin causarles a nuestros soldados daño alguno.''

''¡Oh valeroso señor nuestro, debajo de cuyas alas nos amparamos, defendemos y hallamos abrigo! Invisible e implacable eres tú, así como la noche y el aire, a ti suplicamos en este día nos defiendas contra el humo y la niebla de tu enojo, y tengas apagado siempre el fuego abrasador de tu ira. Que encuentren siempre serenidad y claridad las avecillas de nuestro pueblo que vienen a calentarse al sol; danos siempre tiempo sereno para que te llamemos y hagamos oración y no te tengamos que desconocer y te creamos vientre de todo mal.''

''En conclusión te suplicamos, humanísimo y beneficientísimo dios, que tengas por bien dar como regalo a tu pueblo las riquezas y haciendas que sueles repartir para contento, a manera de bellas luces, pero que no sean efímeras y breves como sueño que pasa...''

Sueño que pasa, así había sido su vida, clara luz de firmes ilusiones ya extinguidas¡ ¿A dónde iría a parar su alma? ¡Misterio! Pero al levantarse el escudo del sol en el templo infinito del espacio, sintió adormecer en una profunda inquietud lo oscuro de sus pupilas.

Optimista, extraño e indefinible, se dejó vestir y adornar por sus jóvenes esposas, con el brillante traje rayado de amarillo, y con las orejeras de oro; en el labio inferior, bezote de cristal de roca, en el que había una pluma azul: colgado al cuello le colocaron el joyel de oro, tan grande, que le cubría el pecho, y le pusieron las cintas rojas que unidas sostenían a un lado el anillo llamado Anáhuac; en los brazos, brazaletes, en el ombligo, una rica esmeralda; en la cabeza, tiara negra con puntos simuladores del cielo y las estrellas; en la mano le pusieron abanico de plumas preciosas amarillas, azules, verdes y blancas que salían de una chapa de oro, bruñida, cual hermoso espejo; en la mano derecha, cuatro dardos; veinte cascabeles de oro en los pies y, en uno de ellos, el signo del espejo humeante, y sobre los hombros, le colocaron por último, una manta de red primorosamente tejida de color negro y blanco, con orlas de rosas blancas y rojas, con mosaicos de pluma.

Vivir tal vez fue un sueño, quizá en vez de vida sólo, fue un remedo de la muerte y presintiendo la eternidad, el apuesto joven se dejó conducir por sus custodios y esposas. ¡Había sonado la hora, imposible era esperar un milagro!

La procesión iba a empezar; pusieron al dios en unas andas muy adornadas. Los mancebos y doncellas del Calmécac —escuela de nobles— sacaron unas gruesas sogas retorcidas hechas de maíz tostado; echándolas al cuello y las andas del ídolo, adornando su cabeza con una corona de lo mismo.

De rosas estaban cubiertas las almenas del patio del templo y el suelo regado de espinas de maguey.

La procesión empezó. Junto al ídolo iba Huapactzín con sus lujosos arreos seguido de los sacerdotes embijados de negro y las cabelleras largas y trenzadas a la mitad, siguiéndoles los mancebos también de negro, con mantas de red, sogas y guirnaldas de tozcatl —maíz tostado como adornos; las doncellas llevaban trajes negros aderezados con sartales de maíz tostado, el rostro pintado de colores y las piernas emplumadas y como lujoso tocado llevaban en la cabeza coronas hechas de varillas del mismo maíz.

Acabada la procesión siguieron las ofrendas de mantas y joyas, y cuando el cielo señalaba con el esplendor de sus tonalidades el medio día, el cortejo de doncellas que iba a llevar la comida al dios, presentóse en público con un cerco en la boca de cada una pintado de negro y acompañadas del sacerdote especial del dios, con sobrepelliz blanco y con muchos roajes que le daban hasta la rodilla. En vez de mangas llevaba tan rara vestimenta, unas como alas, de las cuales salían cintas anchas que le sujetaban por la espalda un calabazo agujerado conteniendo en su exterior rosas muy bellas, y en su interior, tizne y colores.

En el interior del templo fue colocado el bien condimentado alimento por las manos finas y delicadas de las sacerdotisas, y allí fueron llevados los calmecatecuhtin —señores del Calmécac— o dignidades del dios que habían ayunado durante cinco días.

El día estuvo pleno de esplendores palpitantes de vida; pero la hora había sonado. Huapactzin fue embarcado con sus desposadas que le lloraban, y se alejó preso de angustia, con el alma aturdida.

¡Cuán tristes estaban las aguas solitarias del lago! Todos lo fueron abandonando y al llegar al pie de las gradas del templo, fue despojado de sus lujosos arreos, tal como arden y huyen en la vida las mundanas vanidades.

Fue ascendiendo con paso firme; allá en la cúspide estaban sus verdugos, y sus ojos atormentados todo lo contemplaron; pero firme, con azorada inquietud, fue llegando hasta el final.

En la profunda calma del ocaso y en los hermosos espejismos de la laguna, se fundió una vida bella y joven, y cual nube fantástica fue ascendiendo hasta los ignotos mares de la calma, mientras en toda la lejanía, flotaba un aliento cálido, emblema de sueño y liberación.

Coyolxóchitl

(flor de coyol)

MEXICA

El sacerdote miró a la mujer.

Allí estaba frente al dios Quetzalcóatl —dios de sabiduría— mirándole intensamente.

El sacerdote la observó con asombro: iba lujosamente vestida y soberbiamente alhajada.

El sacerdote pasó cerca de ella y la mujer dijo:

—Yo oigo la voz del dios en brazos del hombre— y sin decir más, se alejó del templo dirigiéndose al lugar de donde surgían rumores de cantos.

—La mujer al llegar allí, descubrió un grupo de jóvenes dedicados al servicio del dios que eran instruidos en los ritos, danzas y cantos sagrados. La mujer entró despacio, quedándose de pie junto a la puerta, ante el asombro de los jóvenes.

Uno de ellos, el de menos edad y más bello, se acercó a ella; la mujer le miró a las pupilas, que las tenía muy claras, apoyando sus manos sobre el pecho del adolescente, y el corazón del muchacho empezó a latir como aleteo de pájaro prisionero.

Poco después, ella, en silencio se alejó del templo, embarcándose en un acalli —canoa— cuyo remo la condujo a una pequeña isleta, en donde su señor, un guerrero águila, tenía una casa de placer.

Allí vivía la hermosa mujer,a la que hacía meses, su dueño, al regresar cubierto de gloria de la campaña contra los chalcas, la comprara en el mercado de esclavos de Atzcapotzalco —en el hormiguero.

Ese día tan grande señor había presenciado cuando el comerciante la hacía bailar y cantar endechas de amor.

Ella, a la que habían educado tan púdicamente, de pronto se vio luciendo elegante huipil, ricamente adornado de llamativos bordados y muy escotado, y el cueyetl —enagua— abierta a los lados para que al bailar, el comprador pudiera admirar sus bellas formas.

Cuando fue raptada del templo, no lloró ni se defendió; fue todo tan sorpresivo que con los labios apretados se dejó conducir hasta Atzcapotzalco.

Allí el guerrero al verla tan callada, tan silenciosa y al ser enterado de que era una sacerdotisa de la diosa Xochiquetzalli —diosa de las flores y el amor— la compró para manceba.

Al señor Tequantzontecómatl —cabeza de fiera— le gustaba mucho la poesía, y cuando se enteró que el poeta Aquiauhtzin —forjador de cantos— había cautivado el corazón de Axayácatl —mosco acuático—, cuando vencidos, los chalcas, enviaron un grupo de mujeres hasta el rey vencedor, y allí, en el patio de su palacio, con su saber mujeril le provocaron con sus cantos eróticos, llegando a decirle que así como se ufanaba de sus proezas guerreras, a ver si era igual para el amor y el placer.

Y los chalcas sin escudos ni flechas, por medio de sus mujeres guerreras, alcanzaron la victoria, llegando a que el rey ''cuando deseaba alegría siempre lo hacían cantar''.

Y el guerrero águila, que tenía exquisito gusto por la poesía, obligó a la hermosa chalca a que se aprendiera de memoria toda la poesía erótica de su pueblo, para que cada vez que él lo deseara, ella las dijera, allá en la soledad de su casa de placer y estando en sus brazos.

Pero aunque el señor Águila la estimaba tratándola bien y colmándola de regalos, ella no le amaba; sin embargo, por las noches lloraba de amor por el joven del templo, amándolo tan intensamente que no había momento que no le recordara ¡le amaba contra razón y miedo!

Un día que volviera al templo pidiendo a los dioses tuvieran compasión de su desasosiego, no tardó en descubrir a la puerta del recinto sagrado al tan buscado, encendiéndosele las pupilas de luz ¡si parecía que él la esperaba!

La mujer con placer le miró. Era muy joven y muy bello, y su corazón se desbocó.

El joven dijo:

—Aquí estoy.

—¿Por qué has dejado a tus compañeros. Si te descubren te castigan.

—El sacerdote está en el teocalli. Hoy es día de sacrificio. Ven, vayamos a tu casa.

Y la mujer sumisa lo siguió.

Sin recato los dos caminaron hacia la orilla del lago, no hablaban, sólo pensaban.

Cuando llegaron adonde el fiel esclavo llamado Tótotl —pájaro— dentro de la acalli la esperaba, tomándole la mano y apretándosela le dijo:

—Cuando quieras buscarme, ven aquí y mi sirviente te conducirá a mi lado.

Y el joven Tepatli— planta de las peñas— la vio desaparecer en la lejanía azul del lago.

Lleno de felicidad el joven volvía a reunirse con sus compañeros, cuando el sacerdote al pasar a su lado le dijo:

—Tú eres joven y virgen y la mujer inmunda.

Semanas después, Coyolxóchitl, tendida en su lecho, esperaba a Tepatli.

Cuando llegó a su lado, molesta casi le gritó:

—¿Por qué tardaste?

—Hubo sacrificio en el teocalli.

Mas esa noche el joven se quedó dormido al lado de la mujer.

Cuando amaneciera se oyeron voces, y Coyolxóchitl temerosa, dejó a Tepatli dormido, saliendo sigilosamente.

Pero su temor se desvaneció al descubrir que todo el alboroto lo causara la caza de un pequeño tecolotl.

Su esclavo Tototl le enseñaba el mochuelo que apenas iba emplumando. Coyolxóchitl le miró, y se estremeció sin saber por qué.

Los de su raza tenían por mal presagio que la sola presencia de esos animales, aseguraban, era causa de su muerte.

Los días pasaron y mientras el cuahtli Tequantzontecómatl estaba en batalla, los amantes se buscaban más y más.

Un día que la nostalgia de su pueblo invadió a Coyolxóchitl, estando en el lecho al lado de Tepatli le dijo:

—Los dioses dispusieron que yo naciera mucho antes que tú, y ellos mismos ordenaron que tú nacieras después que yo; nuestro amor deja de ser realidad, porque la diferencia de edades lo hace imposible.

Y él a pesar de sus pocos años le contestó con aplomo:

—El amor como la muerte no perdona ni edades, ni jerarquías, ni religiones, ni razas; para el amor como para la muerte, todos somos iguales.

Y uno al lado del otro se quedaron dormidos.

Por mucho tiempo se dejaron de ver. El dueño de Coyolxóchitl había regresado de la guerra, y seguido la buscaba para oír la poesía erótica de los chalcas.

Pero un día el guerrero tuvo que volver a la guerra, y ella, una tarde al lado de Tepatli, dejó que su voz sólo fuera para el hombre que amaba y con tonalidades que tenían encanto y misterio, con las pupilas llenas de lágrimas, para él, sólo para él desgranó la poesía de su pueblo, que estando vencido obtuvo la victoria.

La tarde tenía tonalidades de ópalo, cuando en la estancia vibró la voz cálida de Coyolxóchitl.

—"Levantaos vosotras hermanitas mías.
Vayamos, vayamos buscaremos flores.
Vayamos, vayamos, cortaremos flores.
Aquí se extienden, aquí se extienden,
las flores del agua y el fuego, las flores del escudo
las que se antojan a los hombres, las que son prestigio:
las flores de la guerra."
"Son flores hermosas,
¡con las flores que están sobre mí, yo me adorno

son mis flores, soy una de Chalco, soy mujer!
Deseo y deseo las flores,
deseo y deseo los cantos,
estoy con anhelo, aquí en el lugar donde hilamos
En el sitio donde se va nuestra vida."
"Yo entono su canto
al señor, pequeño Axayácatl,
lo entretejo con flores, con ellas lo circundo.
Como una pintura es el hermoso canto,
como flores olorosas que dan alegría,
mi corazón las estima en la tierra."
"Nada es mi falda, nada mi camisa,
yo, mujercita, estoy aquí,
viene él a entregar su armonioso canto,
viene aquí a entregar la flor del escudo."
"Que yo me atavíe de plumas, madrecita mía,
que me pinte yo la cara,
¿Cómo habrá de verme mi compañero de placer?"
"Mi pintura florida son mis pechos.
En tu estera de flores, compañero pequeño,
poco a poco entrégate al sueño,
quédate tranquilo, niñito mío."

Y cuando la noche iba tomando tonalidades oscuras sobre el lienzo del lago, los dos se quedaron dormidos.

Al otro día salieron a caminar por la isla. Las flores por doquier esmaltaban la tierra.

Los árboles daban sombra y los alcatraces a la orilla de la laguna, formaban un cinturón blanco que aprisionaba la isla.

En el embarcadero, la acalli se movía apaciblemente al recibir la caricia de las ondulantes aguas.

Y arriba de la vegetación suave, allá donde el sol entraba con dificultad, una multitud de pájaros dejaba oír sus trinos.

Coyolxóchitl y Tepatli, tomados de la mano se fueron internando en el sendero que conducía a un pequeño santuario, donde una pequeña Xochiquetzalli —diosa del amor y las flores— se erguía entre amapolas y nardos.

—¿Por qué hasta ahora me traes aquí?— preguntó el joven buscando las pupilas de la mujer; mas ella no contestó.

—¿Por qué has tardado tanto?

Ella se encogió de hombros y siguió caminando hasta el borde de la laguna

—Ten cuidado— dijo el mancebo— no te acerques al borde porque puedes caer

—No temas —aseguró—, desde que te amo vengo hasta aquí para sorprender a los insectos bebiendo el agua de la lluvia en la corola de las flores; además he admirado las plumas multicolores de los pájaros cantores ¿y sabes por qué? Porque para tu juventud ansío poseer en mi cuerpo la fragancia de la flor, y en mi voz, la dulzura del trino.

Luego se quitó sus vestidos y entró en el agua; el mancebo la contempló en silencio para después preguntarle:

—¿Sientes placer el que las aguas besen tu cuerpo?

Y sonriendo pensó la mujer:— mi cuerpo desnudo lo deslumbra. Mi cuerpo es de él y no del guerrero ya viejo y cansado— y ya no pudo pensar más, porque, como si una fuerza misteriosa la atrajera al fondo, desapareció

Los gritos desesperados de Tepatli fueron oídos por Tototl el esclavo, quien enterado de lo sucedido, dirigiéndose al joven, aseguró:

— No llores más ni te desesperes, la tragedia estaba escrita, la muerte tenía que caer sobre mi señora, porque hace días encontramos en la isla un tecolotl, y tú sabes que eso es anuncio de muerte.

Y el joven cantor aún sollozante fue conducido por Tototl en el acalli, al corazón de Tenochtitlán, haciendo el viaje de regreso, por el mismo camino de agua que tantas veces lo llevara a los brazos de su amada.

La dulce muerte

MEXICA

Su señor Iztacciuiztli —milano blanco— que lucía en su atuendo guerrero el casco en forma de una cabeza de águila, como le correspondía a un cuachic —caballero águila— soldado del sol, acababa de regresar de la campaña de Talzcallán —en lo quemado.

Y días después había llegado el día del undécimo mes del año Ochpaniztli —barrida del camino, undécima veintena— en que el emperador en persona distribuía las recompensas y armas honoríficas.

Ella, Xanat —flor, vainilla—, la esclava que había sido hija de principal allá en el reino de Papantla —tierra de pájaros canores— por ver a su señor que tanto la amaba, había dejado furtivamente la casa de su ama, la señora Quilaztli —garza verde— mujer altiva y cruel que le daba los quehaceres más pesados, presintiendo que su belleza y juventud, apreciaba en mucho su esposo.

Allí "estaban todos colocados en orden, en fila bien ordenada, ante el Tlacateccatl —el que manda los guerreros— Moctezuma —Señor sañudo— Xocoyotzin —el más joven, quien estaba sentado en su estrado de águila— Quauhpetlapan —,y en verdad allí estaba sentado sobre un plumaje de águila y el dosel de su asiento era una piel de jaguar.

"Cada uno se ponía delante de él y lo saludaban, y cada uno se ponía ante él y luego lo saludaban; tenía a sus pies toda clase de armas e insignias, escudos, macanas, tilmas, taparrabos.

"Se ponían delante de él y lo saludaban y cada uno en su turno recibía los regalos. En seguida iban a adornarse y colocarse sus insignias."

¡Cómo brillaban de amor las pupilas oscuras de Xanat.! Para verlo mejor, se elevaba sobre la punta de los pies, y hubiera querido ser alta, muy alta para sobresalir de ese mundo de espectadores.

Embargada de felicidad vio que, "cuando todos los equipados de esa manera, de nuevo se colocaban en fila ante Moctezuma, y las insignias que les había entregado eran sus recompensas, que servían para ligarlos al servicio".

Y ella, al igual que las ancianas, las mujeres bien amadas, vertía lágrimas vivas y su corazón se llenaba de alegría.

Cuando hubo terminado el Tlacatecuhtli —señor de los hombres— volvió a su tecalli— palacio.

¿Quién la descubrió?

El caso es que desde ese día, la señora Quilaztli fue más cruel con ella. Con cualquier pretexto la mandaba azotar y privar de alimento.

No pocas veces ordenaba a sus otros exclavos la despertaran a medianoche obligándola a moler gran cantidad de nixtamalli. Otras, la enviaba a lavar pesadas mantas y no pocas veces tenía que acarrear grandes cargas de leña. Cuauchic, su dueño, nunca sospechó el motivo porque, cuando buscaba esos ojos tan bellos y tan tiernos, nunca encontraba humedades de lágrimas en ellos.

Un día la señora Quilaztli, que sorprendiera a su esposo mirando complacido a la joven esclava, no tardó en ordenar fueran cortados sus hermosos cabellos y quemado su cuerpo con teas encendidas.

Esa tarde, enloquecida de pena se dirigió al Coateocalli —templo de las culebras —donde estaban presos los dioses de todas las provincias, en busca del tlatcan —sacerdote de su pueblo que vivía en unión de los otros servidores de los dioses presos.

Xanat aún no olvidaba la devoción que su pueblo le inculcara por la diosa Centeocíhuatl —la providente diosa del maíz.

Cuánto tiempo hacía que por las tardes elevaba sus oraciones a la diosa de figura de mujer, labrada en mármol blanco con esmeraldas por ojos, revestida por albo manto y coronada de espigas de maíz.

Cuántas y cuántas horas pasaba la bella frente a ella, pidiéndole entre sollozos que su ama la tratara con menos crueldad, y no pocas veces Xanat creía que el rostro agradable de la diosa le sonreía.

Otras veces olvidaba sus penas al contemplar el pectoral de oro descendiendo desde su cuello y formando una malla que le cubría sus senos terminados en rubíes. Y tanto y tanto la veía que una mañana al mirarla creyó que la diosa movía el haz de doradas mazorcas sostenidas en su diestra y la hoz de cobre que lucía en la siniestra. Pero lo que más le subyugaba era ver ceñida a su cintura una serpiente anudada, cuyos cascabeles y cabeza de penetrantes ojos, pendían entre sus muslos.

Cuántas veces se acercaba tanto a los sahumadores que incensiaban el altar de la diosa, que tan gran señora y ella, la insignifante mujer, era cubierta por tenue velo de blanco humo.

Pero esa vez, Xanat se olvidó de la diosa, para correr hasta donde el Tlatcan —sacerdote— Quihuipaxni —jabalí— arrojaba resinas olorosas en los sahumadores, corriendo hasta él, y abrazándose a sus piernas le pidió entre lágrimas y sollozos la salvara.

—¿Qué es lo que te pasa, Xanat?— preguntó el sorprendido sacerdote.

Mi ama me ha destinado al sacrificio y yo tengo miedo, mucho miedo. ¡Tened compasión de mí! No le ha bastado golpearme y herirme cruelmente; ahora quiere sea sacrificada a la diosa Cihuacoatl —diosa madre.

El Tlatcan la miró pensativo. Eran tan desgarradores sus sollozos y tan profunda la desesperación que trató de consolarla.

— La diosa te amparará. ¡Vete! No pierdas la fe — le dijo.

Pero Xanat seguía suplicando:

Dadme tlatcan, dadme la sacsi —yerba— que me produzca la ansiada salalucut —la muerte.

Pero el sacerdote al oírla, la miró severo, por lo que Xanat, desolada dejó el Coateocalli.

Esa noche, el tlatcan, impresionado por el dolor de la bella Xanat, no pudo dormir, y en la sombra de su celda llegó a la conclusión de que tenía razón de ser el miedo de la joven papanteca.

La fiesta de la diosa Cihuacoatl —culebra mujer, nuestra madre,— era una de las más crueles.

LLegado el día, colocaban a la esclava delante de la puerta del Tlillán —lugar de negruras— edificio dedicado a ella, que estaba en el Templo Mayor.

Enfrente estaba el Teotlecuilli —fogón divino— en que los sacerdotes alimentaban con madera de encina y que cuatro días antes había sido encendido. Y allí arrojaban a cuatro esclavos que sacaban de las brasas antes de que murieran para sacarles el corazón.

Lo mismo hacían con los otros prisioneros, y luego tendían los cuerpos unidos, formaban un estrado, y sobre él tendían a la esclava, imagen de la diosa, degollándola.

Cuando llegó a este recuerdo el tlatcan, sintió profunda compasión por la bella Xanat. En verdad era pavoroso el final de una joven vida, por lo que después de pedir a la diosa permitiera cederle a su devota hija una muerte digna y dulce, decidió proporcionarle a la bella exclava, lo tan deseado. Esa tarde, cuando Xanat fue en busca de consuelo, Quihuipaxni, en silencio le tendió la Sacsi —yerba— de la salalucut —muerte.

La joven, agradecida, empapó con sus lágrimas las manos salvadoras del tlatcan, saliendo apresuradamente del Coateocalli.

Días después llegó el octavo mes del año, el Huey Tecuilhuitl —la gran fiesta de los dignatarios— en que capitanes y otros hombres valerosos ejercitados en las cosas de la guerra podían tomar parte en la gran danza que se celebraba por la noche, al pie de la pirámide sagrada y a la luz de enormes braseros y de las antorchas que sostenían los jóvenes.

Xanat, esa noche, con lágrimas en sus negras pupilas contempló a su señor danzar en pareja y cada grupo de dos guerreros se unían a una mujer, una auianime —cortesana— las que iban con los cabellos extendidos sobre los hombros y vestidas con una falda bordada, con flecos.

Sollozando quedamente la joven esclava vio a su señor que llevaba en su labio el adorno en forma de pájaro a que tenía derecho por ser Cuachic; y ya no quiso mirar más, porque las lágrimas velaron sus pupilas. Luego, apresuradamente se dirigió a la orilla del lago y allí, en el hueco de su mano apresó agua, en la que con mano firme disolvió la hierba de la muerte, para después, serena, beberla, dando gracias a la diosa Centeocíhuatl que permitiera al tlatcan Quihuipaxni le proporcionara una muerte digna y tranquila.

Y bajo el cielo lleno de estrellas, Xanat, sonriente, fue cerrando sus párpados.

Axóchitl

flor de agua (nenúfar)

MEXICA

Como una ofrenda preciosa de la vida a la humanidad, era la belleza incomparable de Chalchiuhyexóchitl —flor de esmeralda—, cuya juventud y hermosura, fineza y lindura, la habían transformado en una hermosa flor humana. Desde su cuna parecía haberle sonreído el tan deseado talismán de la felicidad, mas llegó el día en que sus ojos de misterio amanecieran aureolados por ojeras azules y su mirar se preñó de sufrimientos.

Su vida apacible y envidiada había constituido un hermoso prólogo juvenil y bien le había mimado el destino al convertirla en esposa de un bravo cuauhtli —águila— vasallo querido del emperador que aún no educado en el Calmecac —escuela de nobles— su bravura le había elevado al rango de verdadero príncipe de las armas y grande del Tepochcalli

—escuela de guerreros—; como tal, siempre lució gallardo traje amarillo y verdadero pantli —bandera— a la espalda. Pero aunque Chalchiuhyexóchitl, la escogida flor azteca, lució su gallardura en lujoso cuauhcalli — en la jerárquica casa de los guerreros águilas— y sus menores caprichos eran cumplidos por bellas esclavas, no por eso dejó de pagar su tributo al dolor, y al fin llegó el día en que oculta pena estremeció sus carnes con sollozos desgarradores. Si antes no tuvo lágrimas por caprichos y rebeldías, esa vez su vida escogida y feliz, para siempre estaba herida con la aflicción más grande y enloquecida, con la pena que sólo las madres pueden llegar a comprender...¡por la próxima pérdida de una hija!

Cruel era la religión de sus mayores, inmisericordiosas las costumbres de su pueblo; pero mil veces más cruel, era el corazón de su esposo que con increíble dureza, muy pronto le iba a arrebatar lo único querido en su vida carente de afectos, lo único que constituía toda su alegría y todo su consuelo, que a través de los siglos sigue siendo el poema de la vida, ¡el hijo!

Ante su llanto se desesperaba el compañero de su existencia, le injuriaba y le maldecía por esa increíble rebeldía en una madre educada cuidadosamente en una religión, que tenía entre sus primeras máximas el que no había mejor ofrenda a sus dioses que las vidas humanas; luego, ¿Por qué esa desesperación y esa rebeldía? Y la pobre martirizada no quería comprender que la ofrenda del esposo a la divinidad debía ser su propia hija.

Cierto era que en su alma y en su pensamiento grabadas estaban las enseñanzas rituales de su religión que le hicieron presenciar indiferente e impasible los sacrificios humanos de los ritos, y el doloroso sufrimiento de las madres; pero ahora que era su hija la víctima escogida, enfurecida pugnaba por arrancar su presa del maldito culto, sin importarle en nada la ira de los dioses ni de los hombres. ¿Y qué podía hacer tan desdichada mujer, sola e indefensa, si aun enfurecida y trastornada no podía vencer una sola fuerza, un solo mandato, como era el de su esposo? Y poco a poco, ella misma fue comprendiendo que menos podía enfrentarse a los sacerdotes y a los hombres crueles y sanguinarios. Lágrimas y súplicas fueron inútiles. Atormentada y despreciada, casi enloquecía al lado de su pequeña, una linda muñeca de siete años, cuyas carnes trigueñas y regordetas, vibrantes de gracia, le hacían desear a cada minuto vivido, que mejor se le rompiese el corazón.

Chalchiuhyexóchitl pensó que su gran sufrimiento nunca tendría fin, y atormentado su cerebro por el estrujamiento moral, hizo mirar a sus ojos espirituales todo el camino vivido, hasta detenerse en el preciso momento en que el tan deseado talismán de la felicidad habíase roto.

A veces el espíritu se goza haciendo que el dolor punce más y, tal vez por eso, la desolada madre fue palpando mentalmente desde el instante en que las ticime —médicas— esperaban junto a su lecho la llegada del nuevo ser. Su esposo, tenía ya listo en las manos el chimalli —escudo— y las cuatro flechas de Huitzilopochtli —dios de la guerra—, para ponerlas en las manitas del nuevo vástago; pero, por desgracia, fue necesario poner en ellas: la escoba, el malácatl —uso— y el petate para que se sentara, utensilios propios de la mujer, que tanto contrariaron al padre, notando desde ese momento que el cariño paternal escaseaba.

Pasaron así, sin grandes penas los años alados y presurosos, mas la trágica nota de su vida se perfiló cuando su esforzado valiente esposo, en una noche de batalla sagrada, por malas artes del inoportuno dios Tláloc —dios de la lluvia— volcase sus cántaros de jade en el campo de la lucha, favoreciendo al enemigo que empezó a dispersar las huestes del esforzado cuauhtli, quien pundonoroso y digno, en un arranque de bravura, imploró la ayuda divina del señor de los cielos, y lloroso, ofreció a cambio de su honra de guerrero, la vida de su pequeña hija.

¡El milagro fue hecho! ¡Mil prisioneros llevaron sus guerreros a sus dioses y a su rey, y una insignia más prendió a su traje! Cargado de regalos reales llegó vencedor el cuauhcalli: oro, joyas, piedras preciosas, plumas policromadas, trajes riquísimos, mantas finas y todo un tesoro fue depositado a sus pies; pero mil veces fueron despreciadas todas esas riquezas, causa de su desdicha.

Y así, acongojada, y punzándole a cada momento más y más su dolor, llegó el día implacable e inolvidable. Una fiebre extraña la arrojó en su lecho, poniendo un velo de ignorancia en su mente, cuando los teopixque fueron por su víctima, inhumanamente arrancada de sus brazos amorosos ¡El eco desgarrador e implorante de la niña se fue alejando! ¡se fue perdiendo para siempre!

La Hueytiziztli, la gran fiesta, fue hecha cuando el maíz había puesto tintes verdoso y tiernos en los sembradíos y el ambiente empezaba a poblarse de cálidas brisas. Días antes, la caravana real habíase ido a Tetzcoco —lugar donde abunda el teztli, planta—, siendo recibida por el rey Nezuahualcóyotl —coyote de ayuno— y los grandes de su reino, que fueron aposentados en el sagrado Tlalocan —paraíso de Tláloc— donde se habían erigido vistosas casas de frondosas enramadas; y amaneció la Hueytozoztli con el cielo entintado de rojo, como si adelantándose al sacrificio, hubiérase entintado con la sangre de la víctima.

El sol empezó a acariciar a las cosas y a los seres; pero cuando enérgico quemó a la Tierra, principió el extraño rito.

En hombros y cuidadosamente cubierto fue llevado en procesión un niño de seis años hasta el lugar llamado Tetzacualco —en los montículos de piedra— y allí, ante la imagen de Tláloc, e impregnada la montaña con el eco de las flautas y los caracoles, dentro de la misma litera, fue ofrendada esa vida al poderoso señor. Como honor máximo, el emperador mexihca, seguido de su lujoso séquito, ascendió hasta la casa de placer del dios de las Lluvias, y entrando él solo hasta donde estaba la representación de la divinidad allí existente, púsole en la cabeza rica corona de plumas, en las caderas le ciñó el amplio maxtli galanamente fabricado; sus hombros arropó con costosas mantas de labores de pluma y figuras de culebra, su cuello engalanó con sartas de piedras preciosas y joyeles, púsole ajorcas de oro en los brazos, en los pies.

Cuando hubo terminado la ofrenda del emperador, los demás señores depositaron a los pies de la divinidad, riquísimos presentes, siguiendo la extraña ceremonia de los sacerdotes que rociaron todo con la tierna sangre del sacrificado, untando con ella también el rostro de Tláloc.

Cien yaoquizque quedaron como cuidadores de la ofrenda, para evitar que los de Tlaxcalla y Hhuexotzinco las robaran después de que se hubieran retirado los grandes sacerdotes y demás señores.

Mientras, en la ciudad, había empezado la litúrgica ceremonia a ese mismo dios: frente a su templo situado en el gran Teocalli —templo al lado del de Huitzilopochtli— se había fingido un bosque de erectos árboles, hermosos montes y fantásticos peñascos; pero sobresaliendo de toda esa naturaleza muerta, se elevaba un grande y coposo árbol, el más grande y coposo del cerro de Culhucán, llamándole Tota, el que estaba rodeado de otros cuatro pequeños.

En el Tota lucían las nezahualmécatl —cordeles de penitencia hechos de esparto que pendían cual sogas adornadas con borlas de la misma fibra.

El Sol, rojo y encendido cual gigante bola de fuego, dibujaba, calidoscópicamente sombras y cosas, mientras los grandes sacerdotes con sus trajes de ceremonia fueron hasta Tepetzinco —abajo del cerro— en cuyo oratorio, Totocan, había pasado toda la noche la llorada hija de Chalchiuhyexóchitl, en cuyos ojitos atormentados por el llanto y el desvelo obligatorio, parecían haberse prendido residuos místicos de los cantos de los sacerdotes encargados de evitarle el sueño, y había llorado tanto la pequeña, y su rostro se había empapado tanto de sus lágrimas, que el pueblo, al saber tal noticia, se había sentido dichoso, pues eso significaba, que ese año los cielos llorarían mucho.

Al despertar el alba mostrando con ello los pétalos rosáceos de su gigantesca flor, la preciosa muñeca de cabellos y ojos como la obsidiana, fue vestida con el traje de ceremonia consistente en vestido azul, símbolo de la laguna de Tetzcoco; y como tocado una correa encarnada rematada en borlas de plumas y, así engalanada, la colocaron debajo del árbol Tota, siempre oculta bajo el tupido pabellón para evitar las miradas profanas.

"¡Oh gran dios! ¡Oh gran señor! —Todos nosotros hemos entrado— Al servicio de tu casa.— A los cuatro puntos está enarbolada —La gran bandera de papel. —Y por los cuatro puntos te llamamos— Y esperamos ¡Oh gran rey! —La hora de la tristeza ha desaparecido. —Tu sagrada estatua ha sido ya alhajada. —Allá en la lejanía, allá en el Tlalocan— Tus sacerdotes se han pintado— Con el rojo oscuro— De la sangre de tu hijo. —¡Oh caudillo nuestro, gran hechicero!— Tú que produces abundantemente los alimentos; —Tú que eres el dador de nuestra existencia— Tú que lo eres todo.... —Y si embargo no hacemos otra cosa más que ultrajarte...ultrajarte. —Nosotros agraviándote detenemos tus víctimas—No te granjeamos ni por interés de tu beneficio.—Y eso hacen todos, hasta tus viejos sacerdotes.—¡Oh tú habitante de la casa turquesa!— Haznos la merced de venir a habitar entre nosotros—agitando con ello vuestra sonaja de niebla,—y trayéndonos con ello la abundancia— de tu agua bienhechora."

Así, sin danza y monótono, se repetía el canto a Tláloc acompañado del ronco son del teponaztli.

Cuando los ligeros correos llegaron a la ciudad con la tan esperada noticia de que los señores ofrendantes en el Tlalocan ya se habían embarcado, a la hija de la infortunada Chalchiuyexóchitl la metieron con todo y pabellón en una canoa, mientras en una balsa era depositado el Tota con todas sus ramas liadas, se remó al centro de la laguna, sin que por ello dejaran de tañer las flautas, ni se dejara de repetir el canto a Tláloc, siguiendo a la balsa y canoa, un cortejo de hombres, mujeres y niños que iban a presenciar la ceremonia del sacrificio.

Mientras, en la ciudad, todos los que habían quedado, se recreaban con las delicias artísticas de actores y mazatecas, que bailaban alrededor de unas vasijas llenas de culebras que después se tragaban, y en cuyas danzas lucían máscaras de colibrí, mariposas, abejas, mosquitos y pájaros.

Cuando al mismo tiempo llegaron a la mitad de la laguna, la caravana salida de Tetzcoco, y la comitiva de los sacrificadores dirigíanse a un lugar llamado Pantitlán, en donde las aguas turbulentas hacían remolino, desatan las ramas del árbol Tota, plantándolo allí, en tanto que con una fisga de matar patos, fue degollada la pequeña víctima, cuya sangre arrojada a la laguna, hizo que las aguas volviéranse encendido ópalo que avaro guardó por toda la eternidad el cuerpecito de la hija de Chalchiuhyexóchitl.

La caravana iba a volver; pero antes, como última ofrenda al dios Tláloc, fueron arrojadas grandes cantidades de joyas, oro y piedras preciosas, regresando después en silencio a la ciudad lejana, donde sólo quedaba de la tragedia, una madre enloquecida de dolor.

Una imperceptible tristeza dejó en el padre, el rastro sangriento de aquel sacrificio; pero en la madre, fue tan intenso el dolor que languideció y a pausas se iba extinguiendo su vida.

Noche a noche pedía a la diosa Chalchiuhtlicue —la de la falda hermosa, diosa de las aguas— le permitiera volver a ver a su adorada hija, y noche a noche, fervorosa y solitaria esperaba el milagro, aunque en en vano!

Un atardecer lleno de martirio, presintió la madre una leve y misteriosa llamada que provenía de las aguas burbujeantes y turbulentas de la tumba líquida de su hija, y sin esperar más, esa misma noche, aprovechando la ausencia del Cuauhtli su señor, llamado a la sala del rey, calladamente, ordenó a sus esclavos prepararan una canoa, y obedecida la orden, al golpe potente de los brazos de sus robustos hombres, cuando la luna no llegaba al cenit, la ligera embarcación se detuvo al borde del resumidero siempre quejumbroso y burbujeante. La inconsolable mujer lloró, y tanta fue su pena, que enloquecida se arrojó a la vorágine hechizada, a la par que de la garganta de los remeros brotó un grito, cuyo eco debilitado repercutió por toda la desolada extensión. Ya iban a pulsar sus remos los esclavos, ya se iban alejando en dirección de la línea oscura de la gran ciudad, cuando sus ojos asombrados descrubrieron algo frágil y nuevo que se mecía al vaivén de las aguas. Algo antes no visto, una flor de pétalos color de luna, de pistilo de oro, que cual joya lacustre dormía en el estuche de terciopelo de sus hojas flotantes, una preciosa y delicada flor en cuyo seno iba a albergar para siempre el alma inocente de la niña, víctima de las costumbres bárbaras de su pueblo, y el alma de una madre que no supo consolarse con las leyes de su época, pues antes de comprender las leyes de los hombres supo lo que era la ley del corazón.

Tochtli
(su conejo)

MEXICA

Ella era joven y hermosa. Vivía en el calpulli —barrio— de Aztecalco —casa de las garzas— y se llamaba Yaloxóchitl —flor como elote.

Cuando la joven terminaba los quehaceres de la casa, con permiso de su madre, iba todas las tardes al aviario del rey, para pasar largas horas frente al Totocalli —casa de los pájaros, casa de los trinos— para deleitarse con el canto del tzociul —jilguero— o del zinzontle —cuatrocientas voces.

Otras veces iba a sentarse a la orilla del lago para contemplar el ocaso, cuyas llamas se reflejaban en la superficie pulida de las aguas.

Una de esas tardes, descubrió Yeloxóchitl a un joven fornido y esbelto, dorado por el sol, que conducía su acalli —casa sobre el agua, canoa— camino de las rutas invisibles de las extensas aguas.

Y ése fue el principio de un amor que le hizo más tarde abandonar la casa de sus padres, para ir en pos del compañero.

¡Cómo le amaba! El tiempo pasó y su cuerpo y su alma fueron modificándose llegando a descubrir que iba a ser madre.

Los días se le hicieron largos; hasta que una noche, oyó en la sombra el primer llanto de su hijo.

Yeloxóchitl se sintió feliz; pero días después que fuera en busca del tonalpouhque —el que sabe conocer la fortuna de los que nacen,— su corazón latía apresuradamente.

El sabio del calpulli le hizo preguntas y preguntas: en qué hora había nacido, qué día, y después de haber sido informado ampliamente, revolvió sus libros y buscó el signo, y su voz cansada explicó:

—Tu hijo, mujer, nació bajo el signo Ometochtl —un conejo— y porque nació bajo ese signo será borracho, inclinado a beber vino, y no buscará otra cosa sino el vino, ¡no buscará otra cosa!, y en despertando en la mañana lo beberá, sólo deseará embriagarse, y así cada día andará borracho y aun lo beberá en ayunas, y en amaneciendo, luego irá a las casas de los taberneros pidiéndoles por gracia de beber, y no podrá sosegarse sin beber, y si no llega a tener con qué comprarlo, lo comprará con sus propios vestidos. Así llegará a ser pobre. No podrá estar sin emborracharse y andará cayéndose lleno de polvo, descabellado y sucio. Estará lleno de heridas y golpes, le temblarán las manos y cuando hable, no sabrá lo que dice, pronunciará palabras afrentosas e injuriosas y difamará a otros. Otras veces dará aullidos y voces, diciendo que es hombre valiente y andará bailando y cantando, a todos menospreciará y no tendrá cosa alguna, arrojará piedras y todo lo que se le venga a las manos.

"No se acordará de otra cosa, sino de la taberna, y cuando no halle el vino y no lo beba, sentirá gran pesadumbre y tristeza, y andará, de acá para allá buscando el vino, y si encuentra a algún borracho bebiendo vino, huélgase y halágase con los borrachos y reposará su corazón y no se acordará de salir de allí, y si le convidan a beber vino en alguna casa, luego se levantará de buena gana e irá corriendo, porque perdería la vergüenza y si no deja el vicio vivirá siempre desvergonzado y no temerá a nadie. Por esta causa todos lo menospreciarán por ser hombre infamado públicamente."

"Hija, me duele tu pena, pero no llores, nació en mal signo. El borracho por desgracia hace muchas desvergüenzas, como de echarse con mujeres casadas, o hurtar cosas ajenas o saltar paredes, o hacer fuerza a algunas jóvenes o retozar con ellas, y hace todo esto porque está borracho y fuera de su juicio, y en amaneciendo, cuando se levanta tiene la cara hinchada, duerme todo el día y no tiene ganas de comer."

Cuando hubo terminado el tonalpouhque, al contemplar la angustia de la madre, le preguntó cómo le llamaría y Yeloxóchitl con lágrimas en las pupilas respondió quedamente:

—Itzoncuin —cabellera bonita.

Pronto la joven madre vio crecer a su hijo sano y fuerte. El miedo al horóscopo se iba desvaneciendo en su mente; porque creyó que su gran fe y sus plegarias elevadas diariamente a los dioses, serían oídas.

Mas el niño creció inclinado al octli; apenas contaba escasos años y ya espiaba a los abuelos que por llevar canas les era permitido beber octli. Sus ojitos inteligentes se contemplaban en torno del cántaro lleno, sintiendo sus pupilas vivaces atracción en las jícaras que llenaban a cada momento con el espumeante líquido, y cuando se dormían, cautelosamente iba a robar el jugo del maguey, sintiendo gran satisfacción en ello.

Así llegó Itzoncuin a la edad en que debía de entrar al Tepochcalli —casa de los jóvenes.

Cuando sus padres le acompañaron a esa casa de estudios que le correspondía en su barrio, el telpochtlaloque —maestro de los mancebos— se le quedó mirando, y la pobre Yeloxóchitl tembló al solo pensamiento que el hombre adivinara la inclinación de su hijo al octli y por ello le fuera negada la entrada.

¡Cómo sufrió la madre¡ Ella esperaba que los dioses permitirían a su hijo llegar a alcanzar altos grados; pero fue corto el tiempo en que su angustia desapareciera al comprobar que su hijo era sometido a tareas públicas y bien modestas, como barrer la casa común, ir en grupo a cortar leña para el colegio.

Cuántas veces, amorosa, le contempló desempeñando trabajos de interés público como era la reparación de zanjas y canales y cultivo de tierras de propiedad colectiva.

Pero Yeloxóchitl un día descubrió que Itzoncuin, a escondidas, seguía con el vicio del octli.

Desde ese instante, asustada, le asaltó el temor de que un día su hijo sería encontrado borracho y públicamente lo sentenciarían al castigo de los palos hasta matarlo, o le darían garrote delante del pueblo, para que tomase ejemplo y miedo de emborracharse.

Por varias noches ese temor le asaltó, por lo que toda acongojada fue en busca de un sacerdote del dios Tezcatzóncatl —el que tiene la cabellera reluciente, dios de la embriaguez.

A su tiempo se dirigió en busca de consuelo. El sacerdote, uno de los Centzon Totochtin —cuatrocientos o innumerables conejos, dioses lunares y terrestres, dioses de la abundancia y la cosecha— benévolo la escuchó:

—Mi hijo —llorosa la mujer le decía— es un joven del Tepochcalli, es bueno; pero es un asiduo bebedor de octli. Todos dicen que mi hijo es malo, que merece castigo, y eso no es verdad. Es cierto que baila y canta a veces, se pelea, siempre busca secretamente la taberna, y anda con gran pesadumbre y tristeza, y sobre todo, siempre ansía octli.

Cuando deja el Tepochcalli, busca las casas donde se ahogan los borrachos, pierden la vergüenza y no temen a nadie.

—Todo lo que dice es cierto, mujer, mas ése fue su destino. ¿Qué se puede hacer por tu hijo Itzoncuin? ¿Qué es lo que deseas?

—Que tú me ayudes, que pidas a tu dios, ya que tú estás más cerca de él, por lo que te oirá más a ti que a mí, que permita "le aconseje su conejo", que se ahogue en la laguna. Prefiero eso a que sea condenado públicamente. El sacerdote guardó silencio, mirándole intensamente las pupilas, y al adivinar todo su dolor aseguró:

—Si tú lo quieres, elevaré mis plegarias. Se acerca la fiesta de los borrachos, cerca está la veintena Tepehuitl y la Ome tochtli —dos conejos— y te prometo mujer que con todo mi fervor le pediré al dios Tezcatzóncatl cumpla tus deseos.

Yeloxóchitl llorando se alejó del Teocalli —templo; pero tres días después de terminadas las fiestas, era encontrado flotando en la laguna el joven Itzoncuin.

Macuilxóchitl

Cempoalxóchitl-veinte pétalos (pétalos)

MEXICA

Sentado en icpalli —asiento— de fina tela en medio de la estancia alfombrada con esteras y tapetes entintados con el rojo de la cochinilla, el amarillo del cozauhtli —pájaro, el oscuro del xiuhquilitl —hierba de tinte — y el blanco del tizatl —tiza—, y alumbrado por los destellos de las teas de copalli y cera, Coyotomatl —tomate de coyote, hablaba de esta manera a su hijo:

—Atlanquauhtli —águila del agua—, hijo mío, haz llegado a la edad de veintidós años. Por tu juventud, bravura y orgullo de noble guerrero, eres una gloria de nuestra raza. Los sabios principios que te inculcaron los Tlamacazque —sacerdotes— del Calmecatl —escuela de nobles— te han hecho digno de llamarte hijo de un Yaoquizqui —guerrero.

Tus grandes hazañas en honor de Huitzilopochtli —dios de la guerra—, nuestro señor, en las que has demostrado tanto valor, te han hecho merecedor de vestir el traje verde y lucir la bandera de listas rojas y blancas, aderezada con el penacho Quetzal —pájaro precioso. No olvides hijo, que eres ya un Tepoztlato —experto en el manejo de las armas. Eres de mi raza, y nuestros dioses disponen que el hombre a tu edad, escoja digna compañera. Sabes hijo mío, que si no haces esto inmediatamente, mañana no habrá quien te dé a su hija por esposa.

¡Escucha mi consejo para que no caiga sobre ti la deshonra!

Para decirte esto, Atanquauhtli, mi noble tepoztlato, es para lo que te mando llamar, y a la vez, para comunicarte que todos nuestros parientes aquí reunidos, y en cuyos ojos podrás adivinar el bien que buscan para ti, aprueban como yo, que ya es tiempo de que tomes esposa. Dime ¿a quién amas, hijo mío?

—Amo a Cozauhquixóchitl —flor amarilla—, la hija del yaoquizqui Teuhnochtli —Tuna de Dios— contestó con orgullo Atlanquauhtli.

—Bien hijo mío, puedes retirarte y que los dioses bendigan tu elección.

Atlanquauhtli salió de la estancia donde los allí reunidos juzgarían serenamente las cualidades y defectos de la elegida de su corazón. Cuando acabaron los parientes de cambiar impresiones, el más anciano de ellos, dirigiéndose al padre del mancebo, dijo:

—Coyotomatl, tu hijo el noble Tepoztato, ha sido iluminado por los dioses al elegir por esposa a la hija de Teuhnochtli.

En efecto, a los quince años, la hermosa Cozauhquixóchitl era modelo de castidad y virtud, y nadie mejor que ella para ser la esposa del joven y valeroso Atlanquauhtli.

La dulce Cozauhquixóchitl había recibido una exquisita educación. Conocía los sagrados deberes del hogar y nadie como ella para orar y hacer penitencia. Pocas jóvenes había que le superaran en confeccionar tan admirablemente la iztactlaxcali —tortilla blanca—, totopoztli —totopos,— tlalaoyo —tlacoyo. También la habilidad de sus manos era sorprendente para labrar y bordar las suntuosas mantas de los dioses y grandes sacerdotes en las que se utilizaban con abundancia quetzaliztli —esmeraldas—,tlapalteoxihuitl —rubíes—, quetzalipiollohtli —ópalos— teoxihuitl —turquesas— xiuhmatlaliztli —zafiros y los trémulos ezteme —granates.

Al día siguiente, como era de rigor, las cihuatlanque —pedidoras— irían a la casa del yaoquizqui Teuhnochtli a pedir la mano de su hija. Esa noche Atlanquauhtli no fue al monte a orar y hacer penitencia. Estaba intranquilo e inquieto, y con supersticioso temor esperaba al iquiza -Tonatiuh —la salida del sol— en que las cihuatlanque, como lo exigía la costumbre irán a pedir la mano de la bella Cozauhquixóchitl. Su ilusión, su esperanza, su misma vida, dependían de este sencillo, pero trascendental acto.

Invocó después con fervorosa devoción a sus dioses protectores y dejó en su honor los pepechtin —colchones— claveteados de púas de maguey y teñidas con su sangre, y ya un poco confortado, se sentó en cuclillas bajo un cercado de pitayas, hundiendo su mirada en la transparencia mejestuosa de un cielo iluminoso. La blanca Meztli —luna— le hizo recordar las circunstancias en que conoció a la hermosa como noble doncella. Fue una noche como ésa, tibia y tranquila, a la hora de la Yohualnepantla —medianoche— un Ce Mizquitli —un muerto— que la vio por primera vez. Atravesaba el joven guerrero uno de los amplios patios del Calmecac, cuando de pronto escuchó el sonido lúgubre del huéhuetl y el teponaztli. Presuroso se ocultó tras una columna y desde allí pudo contemplar a su sabor el coro de las vírgenes, cuyas siluetas, a la claridad lunar se destacaban aladas y ligeras como una visión de ensueño. Un solo rostro atrajo su atención, y sus rasgos perfectos quedaron para siempre grabados en su corazón: era el rostro moreno de ojos de obsidiana de Cozauhquixóchitl. Por natural asociación de ideas, a ese recuerdo se agregó el de las veces posteriores en que ambos se encontraron, y donde sus miradas obedecieron a un sentimiento profundo y tierno, pero a la vez violento, se cruzaron como ardientes saetas.

El hijo del yaoquizqui Cogo tomal, abandonó su solitario retiro y se perdió por los caminos, en esa hora, desiertos y claros, pensando con deleite en su próximo enlace.

Contra lo que todos esperaban, el padre de Cozauhquixóchitl negó la mano de su hija a Atlanquauhtli. Sin consultar a ella e impulsado solamente por su ambición y sed de poder, el yaoquizqui Teuhnochtli tenía el firme propósito de hacer de su hija la esposa del noble Acocoxóchitl —flor de pino [bellota], el Cóatl— caballero serpiente—, quien estaba enamorado de Cozauhquixóchitl.

Al serle trasmitida la funesta noticia a Atlanquauhtli, sintió como si la tierra se abriera a sus pies y como un loco, sin saber qué hacer, salió de la estancia donde hacía poco y sostenido por su gran ilusión, esperaba lleno de confianza.

Como un ciervo acosado vagó sin rumbo por los jardines de su palacio, ¡y en verdad era hermoso el mancebo en medio de su dolor! Erguido, esbelto, bien musculado, con el lujoso tilamtli —capa— de pelo de conejo, maxtli labrado, cactin de cuero forrado, sartales de valiosas gemas, argollas de turquesas en las orejas y en los tobillos y ajorcas de preciado metal; Atlanquauhtli era una forma perfecta, parecía obra maestra de esos sabios e inspirados artistas que labraron la Piedra del Sol.

Con la cabeza levantada, los brazos al cielo, imponente en su dolor y en su cólera, imprecó así a los dioses:

—¡Oh Huitzilopochtli! ¡Oh Tonatiuh! ¿Por qué vuestras manos divinas no me mandaron mejor un tlatzontectli —dardo— en mitad del corazón. Y cubriéndose con las manos el rostro, comenzó a sollozar.

De pronto sintió alrededor de su cuello y sobre sus hombros una tibia y dulcísima sensación: eran los brazos de Cozauhquixóchitl, que sin hacer ruido, como las mariposas, se había acercado sin que él lo sintiera.

—¡Cozauhquixóchitl!, apenas alcanzó a murmurar, porque el acento de su voz se extinguió en el aliento cálido de la hija de Teuhnochtli, que sin pensar en el peligro se había escapado del Calmecac.

Y ante la alegría de volverse a ver, olvidaron su congoja, y sus almas, como dos ruiseñores, se agotaron en una fiesta de gorjeos.

Un solo recurso le quedaba a Atlanquahtli para vencer la hostilidad del yaoquizqui Teuhnochtli que era ser superior en poder y en gloria a ococoxóchitk, el Cóatl. No vaciló un momento y nuevamente se fue a combatir al enemigo, resuelto a morir o conquistar el traje rojo de los Cuauhtli—caballero águila— y el gran penacho de plumas encendidas como llamas, así como lucir en su chimalli —escudo— la simbólica garra del ave real.

Antes de irse se dirigió al templo, y ante el altar del dios hizo esta súplica:

—¡Tonatiuh, tú que me oyes desde el Titlán— lugar donde se envían los mensajeros—, si acaso muero, no dejes que Cozauhquixóchitl sea de nadie!

Y confortado por los juramentos de la amada se fue en busca de gloria. Días después y como paso inicial de la boda de Cozauhquixóchitl con el Cóatl Aococoxóchitl, los padres y familiares de ambos ofrendaron en finas mantas al dios del Teocalli— casa del dios— el banquete de rigor en semejantes casos. Después, el más anciano de los convidados fue a solicitar de Quetzalcóatl— dios de la sabiduría— la autorización para sacar del Calmécalt a la bella novia.

El jefe supremo ordenó desde luego a la tecuancuiltic —superiora— entregara la joven a sus padres, como prometida del Cóatl Oacocoxóchitl.

Inútiles parecían las oraciones, penitencias y ofrendas que Cozauhquixóchitl había hecho a sus diosas predilectas Tlazoltéotl—diosa impúdica o de la basura— y Xochiquetzalli— diosa del amor y las flores, para que retardaran aquel momento, con tanto horror esperado.

Cozauhquixóchitl fue llevada a su casa donde vivió días tristes y desesperados. A cada instante le parecía que venían por ella para ser entregada al hombre que contra toda su voluntad, su padre le había designado como esposo. Sostenida por su esperanza que como débil llama iluminaba la sombra en que se ahogaba su alma, todas las tardes o muy temprano, subía a lo alto de la calli —casa— desde donde se contemplaba, como a través de una enorme esmeralda, el espléndido valle, tendido como un águila a sus pies. Con sus ojos ansiosos escrutaba la lejanía, pero las amplias calzadas permanecían desiertas. El amado no regresaba, y triste y angustiada dejaba aquel lugar donde por un momento se había refugiado su ilusión.

Una tarde, cuando el compacto abanico de las sombras comenzaba a borrar seres y cosas, y convertía en tinta las tranquilas aguas de la laguna, Cozauhquixóchitl lanzó una exclamación de alegría:

—El Paini. el Paini— correo.

En ese momento se dejó oír lúgubre e imponente el canto del tecolotl —tecolote. La hermosa joven palideció intensamente y toda ella se abatió, vencida por su pena, como una hermosa rosa sacudida por los vientos de la adversidad.

Corriendo ágilmente, el paine pasó cerca de la calli. Esgrimía el chimalli y la macuahuitl. Llevaba la buena nueva de que tras él venía el ejército victorioso.

Cuando al fin llegó, Cozauhquixóchitl buscó entre los guerreros triunfadores a Atlanquahtli; pero no lo encontró. ¡Desde hacía muchos días que su amado habitaba la casa del Sol! Se encontraba ya entre los elegidos del Ilhuicatl-Tonatiuh, lugar de maravilla, jardín inmortal donde las flores nunca se marchitan y donde no existen la noche y el día.

Pero esta certidumbre no consoló a Cozauhquixóchitl quien sin fuerzas ya para contener su dolor, le dio rienda suelta, estremeciéndose a impulsos del llanto, como una tierna espiga azotada por la tempestad.

El día Acatl —agua— del mes Tezcatl —espejo— el Cóatl Aococoxóchitl iba a desposarse con la hija del yaoquizqui Teuhnochtli. Su regia mansión lucía profuso adorno de ramas y flores. Sobre fina estera de variados colores se veían los tamaltin —tamales— el sabroso molli —mole— como los sabrosos tlatihmilli —hongo de maíz, huitlacoche.

Desde el Iquiza-Tonatiuh —la salida del Sol— Cazauhquixóchitl toda llorosa, luciendo fino huipilli —camisa— abierta por los lados y hermoso cueitl —falda—, permanecía sentada con las piernas dobladas sobre el labrado pétalt —petate— sin prestar atención a los consejos que le daban sus parientes, abstraída por completo en su dolor.

La hora Onaqui-tonatiuh —ocaso— se acercaba y no obstante lo irreparable de su desgracia, su alma destrozada e ingenua esperaba que su diosa predilecta Tlazoltéotl le devolviera a su amado.

Llegaron las ticime —curanderas o médicas— demandándola, y su madre por última vez le compuso las plumas encarnadas que cubrían los brazos y las piernas, y le disminuyó un poco la marmaja que tenía en el rostro. Aún arrodillada en la manta que tendieron las solicitantes, y antes que anudaran sus cuatro esquinas, por vez postrera dirigió una larga y desesperada mirada hacia la puerta, esperando ver aparecer en el umbral a Atlanquahtli, mas todo fue en vano. Anudaron la manta y en peso fue llevada a la casa de su odiado prometido Aococoxóchitl, seguida de cuatro matronas y un cortejo de doncellas que llevaban encendidas teas de ócotl —ocote.

El feroz Cóatl salió a recibirla, y después de sahumarse mutuamente ambos se sentaron. Ella a la izquierda, junto al hogar, donde el copalli —copal— seguía ardiendo. Había llegado el instante tan temido. Umatícitl se acercó y ató el áyatl de Aococoxóchitl con el huipilli de ella, y el enlace quedó consumado.

Siguió luego el banquete. Los novios se ofrecieron los primeros bocados, y cuando amigos y parientes se entregaban a la danza, Cozauhquixóchitl se alejó de Aococoxóchitl para orar los cuatro días acostumbrados.

Era la cuarta noche de oración y al siguiente amanecer, como la tradición lo ordenaba, llegarían los sacerdotes por ella para acompañarla a su nueva mansión.

Toda esperanza de salvación había muerto en el corazón de Cozauhquixóchitl. En su desolación y desamparo no le quedaba más que implorar la clemencia de todas las deidades celestiales, particularmente la de sus diosas protectoras.

Mientras tanto Atlanquahtl, desde el Ilhuicatl-Tonatiuh —cielo del Sol—, la brillante e inmortal morada que habitaba desde hacía poco, libre ya de las atribuciones y congojas del triste mundo que había dejado, angustiado observaba el intenso dolor en que se debatía Cozauhquixóchitl, y súbitamente conmovido por su amor tan sincero y tan hondo, solicitó de Tonatiuh, el dios del Sol, que en aquellos momentos se preparaba para salir acompañado del suntuoso cortejo de sus guerreros quienes se disponían a arrojar las primeras flechas luminosas como una bendición sobre el mundo, le permitiera bajar a la tierra para salvar a su amada. El dios, agradecido, por el sacrificio que de su vida le había hecho el noble tepoztlato, le concedió lo que pedía.

Los sacerdotes ya iban por la vereda del monte en dirección de la casa de retiro de la desposada. Llevaban el rostro y cuerpo pintados de negro, sujetas con correas de colores las largas cabelleras enmarañadas, y en las túnicas blancas ostentaban símbolos negros.

Cuando a la suave luz del amanecer, la desdichada joven distinguió aquel cortejo imponente y terrible que lentamente se acercaba, loca de desesperación y angustia pidió a su diosa protectora, que antes de ser la esposa del Cóatl acocoxóchitl, a quien tanto odiaba, la convirtiera mejor en huillotl —paloma— o en yoloxóchitl —flor del corazón, magnolia—, y para que su súplica fuera tomada en cuenta, ensangrentaba las púas de maguey con el rojo líquido de su sangre.

Poco después, cuando el cortejo llegó a lo alto, la casa de penitencia estaba vacía. Por lo que apresurados fueron a la casa del yaoquizqui Teuhnochtli, informándole que su hija había desaparecido misteriosamente.

Sacerdotes, amigos y parientes la buscaron por todas partes inútilmente. En ningún lugar se encontraba. Pero a todos sorprendió ver en un sitio solitario del monte, una planta hasta entonces desconocida, en cuyo extremo se abría una gran flor amarilla, una maravillosa flor con apariencias de una flor de oro...Cempaxóchitl.

Y cuando la iban a cortar para ofrecerla a los dioses, Atlaquahtli, en forma de pájaro divino se posó sobre ella, dejando caer en el trémulo cáliz, unas gotitas de agua celeste que llevaba en el pico y batiendo sus alas brillantes, pareció acariciar a la sencilla flor.

¡Y oh, milagro!, la flor sencilla de escasos pétalos color de oro, se fue prodigando en pétalos y pétalos hasta semejar una preciosa borla de oro, que los sacerdotes llamaron Macuilxóchitl.

Cochteca

flor del sueño (amapola)

MEXICA

Ella era tan hermosa como su madre, la noble señora Izquixóchitl —flor de maíz tostado. Cuando naciera le vieron tan quieta que parecía dormida, que le pusieron por nombre Cochteca —flor del sueño.

Su padre, el Yaoiyizque —guerrero— Aquiauhtzín —el que abre el agua—, no tardó en prometerla al Calmecac —escuela de nobles— ofreciéndola en particular a la diosa Xochiquetzalli —diosa de las flores y el amor.

Así que cuando llegó a los trece años ya vivía en recogimiento y en castidad. Sus finas manos, humildes limpiaban el templo, preparaban la comida de los sacerdotes y bordaban ricas mantas para las deidades principales. Cochteca, a pesar de su vida austera, era una soñadora. Hacía tiempo que en secreto amaba al joven Acomiztli —hombros de león.

Lo había amado desde el instante, en que, como complemento a su educación, tuvo que saber las enseñanzas obligatorias del Cuicoyán —escuela de canto y baile.

Fue aquella vez que se ensayaban las danzas para la fiesta Xochilhuitl —la gran fiesta de las flores— dedicada a Xochiquetzalli. Se habían reunido los jóvenes y las doncellas guiadas por los maestros de canto y danza quienes, tomados de las manos, formaban el círculo de la danza; él, al aprisionar sus manos, la sintió temblorosa; pero ése fue el principio, pues cada vez que se enlazaban sus manos para formar rueda alrededor de los músicos, y bailaran entonando los cánticos sagrados, las de ella más y más temblaban.

Detrás de esa noche llegaron otras noches, noches, de plenilunio en que las manos fuertes de Acomiztle y las cálidas de ella, en lenguaje mudo, se decían mil cosas, mientras en la alfombra del suelo gris, se trenzaban los complicados pasos, que hacian juguetear sobre la carne morena de Cochteca el blanco traje carente de adornos, inmaculado cual pétalo de lirio, que hacía más esplendorosa la endrina cabellera, y más apacible y pura su mirada soñadora.

Así, cual flor exótica, toda ella humilde hasta en su indumentaria, no se atrevía a mirar los negros ojos del joven Acomiztli; pero esa efusión cálida de sus manos, ese lenguaje mudo, se fue haciendo más y más fuerte.

Así llegó el último día de la veintena Ochpaniztli —undécima veintena despedida de las rosas, efímera flor que moriría al finalizar el año.

Ese día la ciudad semejaba un ramo florido; el pequeño templo de la diosa estaba totalmente tapizado de plumas, pedrería, joyeles y mil aderezos y ornatos de oro. Los Teopixque —sacerdotes— Huitzilopochtli —dios de la guerra— sus servidores, oficiaban bajo grandes tendidos de escogidas rosas.

A un lado del templo, se colocó un árbol formado de rosas, y mancebos y doncellas, viejos y niños coronaron su cabeza con las perfumadas flores lucieron collares de ellas, y las prendieron a sus trajes.

No tardaron en empezar las danzas rituales y los cantos sagrados. De pronto surgió un grupo de jóvenes disfrazados de pájaros y mariposas, luciendo ricas plumas; blancas, azules, rojas, verdes, y amarillas, los que subieron por el gran árbol, simulando chupar las flores, y a quienes los sacerdotes los dispersaban a golpes de cerbatana.

De pronto hizo su aparición la bella Cochteca, como representante de la diosa de las flores y el amor, la que salía al paso de pájaros y mariposas que fingían huir.

Entre ellos iba Acomiztli, y al verlo su corazón empezó a latir apresurado; Cochteca, la representante de la bella diosa, tomó de la mano al ser tan querido, y seguido de sus compañeros los obligó a sentarse a su lado bajo la enramada, obsequiándoles con rosas y hojas de tabaco, mas al ofrecer tal obsequio a Acomiztli imperceptiblemente le murmuró: —Yolohtli no ¡Yolohtli no! corazón mío:

Después de la fiesta volvió la monotonía; pero en el alma de la joven Cochteca había surgio una nueva emoción, la emoción de saberse amada.

Ella seguía sirviendo a la diosa, cuando una mañana supo que el joven por ella tan amado iba a dejar el Calmecac para recibir las enseñanzas prácticas de la guerra. Allí en la escuela de nobles, ya había aprendido el uso de la guerra, por lo que el Tepuchtlato —maestro de la juventud guerrera, le informara que llegaba el momento de ir a la guerra acompañando a Yoayizque —guerrero— el que le enseñaría la defensa, y el ataque al enemigo, sin perderlo de vista, mostrándole allí mismo los grandes hechos guerreros y especialmente la manera de hacer prisioneros.

La víspera que Acomiztli dejaría el Calmecac, oculto en las sombras, esperó el paso de la bella Cochteca, camino de la alberca sagrada, donde cumpliera el rito de las ablusiones diarias.

La noche era oscura y las sombras espesas lo rodeaban todo; fue por ello que pudo detener a la joven amada y bajo el follaje de acogedor árbol, ambos desgranaron las más sinceras palabras de amor; prometiendo el joven Acomiztli, regresar del campo de batalla, usando la sarta de caracoles marinos, llamada Chipolli y gargantilla de oro.

Espérame, ésperame Cochteca —le decía, temblándole la voz— seré valiente y cautivaré enemigos y por ti, por tu amor, regresaré usando el Ichcahuipilli rayado, la Nacu-Ahutil y el maxtli labrado. Te prometo amada que llegaré triunfante y de inmediato buscaré a los Ticitl —médicas— para que te pidan en matrimonio.

Cochteca, la hermosa doncella, en despedida repetía y repetía: —¡Te esperaré! ¡te esperaré!, ¡Yolohtli no! ¡Yolohtli no!— corazón mío.

Pasaron los meses, y ella ansiosamente deseaba el regreso del joven Acomiztli. Pero un día llegó la mala noticia. En la ciudad hacía su entrada el Pini —correo—, silencioso, con el pelo suelto sobre la cara. La ciudad guardó silencio: no habría recibimiento lleno de alegría, como otras veces ni estaría enramada la calzada por la que entrarían los vencedores guerreros. Todo era por doquier tristeza y en muchas casas se escucharon llantos.

Cochteca, al saber la noticia, tuvo un extraño presentimiento: no llegaría Acomiztli, algo misterioso parecía decirle que el joven tan amado había quedado allá en el campo de batalla, sin vida, todo ensangrentado. Por muchos días se le vio quieta, silenciosa, ensimismada. En la soledad creía escuchar las últimas palabras de amor y ella inconscientemente repetía y repetía como si Acomiztli la pudiera oír.: ¡Yolochtli no! ¡Yolohtli no!

Luego, empezaron en la ciudad las ceremonias fúnebres ¡Si al menos el destino le hubiera permitido ser su esposa, para tener derecho como viuda, a cubrirse con el ayatl —manto— de la esposa y atarse al cuello el maxlte del amado! Pero los dioses le habían negado ese consuelo, por lo que más sufría y más se aferraba a su recuerdo repitiendo y repitiendo ¡Yolohtli no! ¡Yolohtli no!

Después de tanto llorar, de tanto sufrir, la bella Cochteca se fue marchitando hasta enfermarse seriamente, por lo que tuvo que dejar el Calmecac y volver por unos días al seno de la familia.

Una noche llegó a una sola conclusión dormir: dormir y ya no despertar. Acompañada de su vieja nodriza fue al mercado de Tlatelulco en busca de un famoso Tlachisque —conocedor de las virtudes de las plantas, y a quien le compró la milagrosa flor que le daría el sueño tan ansiado.

Cuando días después volviera al Calmecac, llevaba oculta las mágicas flores que le darían la paz tan buscada.

Y una noche, cuando se dirigiera a la alberca sagrada, se detuvo junto al árbol en donde Acomiztle el amado le jurara volver triunfador, y toda embargada de amor, decidió ir a reunirse con él, y resuelta tomó el zumo de las flores misteriosas que le diera el Tlachisque. Repitiendo ¡Yolohtli no! ¡Yolohtli no! Poco a poco un sueño dulce y acogedor le fue embargando; le fue tendiendo sobre la tierra gris; luego las arterias de su corazón se rompieron cual débiles tallos, y la sangre manó libre y abundante por su linda boca, empapando su blanco vestido, enrojeciendo la tierra; y fue tan abundante el rojo líquido que acabó por paralizar su corazón, dándole el sueño tan ansiado.

Toda la noche estuvo allí, inmóvil, con las pupilas muy abiertas, mirando el cielo.

Xochiquetzalli la diosa de las flores y el amor, al verla así, tuvo compasión de ella y queriendo premiar amor tan puro, la convirtió en una hermosa y encendida flor que los meshicas amorosamente llamaron "Flor del Sueño".

Xicóatl

(estrella errante)

MEXICA

Cuitláhuac —alga acuática desecada— Señor de Iztapalapa —lugar de lajas–hermano de Moctezuma Xocoyotzin —el señor que se muestra enojado, "el más joven"—, había establecido un Xochitla —donde abundan las flores, jardín— el que era famoso porque en él se cultivaban tanto las plantas de ornato, como las medicinales de tierras frías.

Junto al jardín botánico corría un río que los moradores del pueblo atravesaban sobre un puente rústico.

El río tenía un genio.

El genio del río se llamaba Achane —el morador de las aguas, el que tiene su casa en el lecho del río.

Achane se entretenía en asustar a los trasnochadores con sus bruscas apariciones o con sus ruidos extraños, sin que causara daño a nadie.

Así hubiera continuado quién sabe cuánto tiempo, a no ser porque una noche las aguas del río se iluminaron de modo tan profuso que el genio despertó sobresaltado. ¿Qué era aquello? La aurora no podía ser, ya que la noche aún estaba envuelta en sombras. Qué era lo que producía aquella luz? Curioso, el morador del río subió a la superficie y, ¡oh, qué sorpresa! era una preciosa niña de luz que había dejado el cielo, para bañarse en las aguas del río.

Y como esa noche, fueron muchas en que la estrellita niña iluminaba las profundidades del río, desde donde el viejo genio, embelesado, contemplaba el inocente jugueteo de la bella en las aguas quietas de su reino.

Yohuatl —la señora de la Noche— comprendiendo el peligro que corría su ingenua hija, muchas veces le había dicho a la incauta niña:

—Te he ordenado que no vayas al río; pero tú no me has obedecido. En ello tendrás tu castigo; si vuelves, desobedeciéndome, Achane, el genio malo, te aprisionará haciéndote su cautiva.

¡Pero era tan hermoso el río! ¡El agua tan límpida!, que Xicóatl no quiso prestar obediencia., y desoyendo todo consejo, tanto y tanto bajó al río, que una noche, cuando Xicóatl se entretuvo por más tiempo en el río, Achane la apresó en su red de plata llevándosela consigo al fondo del río. Desde entonces, a pesar de sus súplicas y del llanto de la estrellita errante, no le dejó volver al cielo.

Achane, enamorado de su cautiva, trató de hacerle grata su nueva existencia, por lo que ordenara a las extacxóchitl —blancas flores del agua— la alegraran con sus cantos y sus danzas.

Mas los ayes de Xicóatl eran conmovedores; el pueblo los escuchaba sobrecogido de espanto; mas por desgracia, aquel que se interesaba por la suerte de Xicóatl era destruido por el genio malo.

Muchos ya habían sido muertos a causa de tal maleficio, y la noticia cundió a tal grado que llevó escándalo, temor y zozobra, a todos los seres de aquel poblado.

La noticia llegó hasta Tlatóhmitl —fruto imperfecto del maíz, huicalucoche el tonto del pueblo, un muchacho bueno, sencillo y sin más fuerza que su gran bondad; por lo que decidió servir al pueblo guiando con la luz de su antorcha a los que regresaban, ya anochecido, de las labores del campo o de los jardines reales; máxime que el paso sobre el puente era oscuro, sombrío y por ello, alguno de sus habitantes podían caer en la corriente y ser presas del genio, lo que tal cosa obligó a Tlatóhmitl a darles su ayuda, contando para ello con su entereza y su antorcha.

Fue por ello que sobre el rústico puente, el muchacho alumbrara por muchos días el camino de muchos ¡Era tan bueno y sencillo!

Una noche, cuando estaba en espera de los retrasados, de pronto percibió un sollozo, y al preguntar quién era la que así lloraba, Xicóatl le respondió:

—Yo soy

¿Y qué haces allí y quién eres?

—Soy Xicóatl, una estrellita errante caída al agua. Una noche oscura bajé al río a bañarme. Achane que me observaba, se enamoró de mí. Por varias noches me dejó volver al cielo; yo regresaba porque me gustaba demasiado bañarme en ese lugar. Mas una vez que me entretuve por más tiempo, Achane me aprisionó en una red de plata, y desde entonces a pesar de mis súplicas y mi llanto, no me deja volver al cielo.

Tlatóhmitl, sensible a su congoja, ofreció salvarla, aunque para ello debiera enfrentarse al peligroso genio.

Xicóatl, al escucharle, asustada, le hizo saber que Achane era vengativo y que hacía pocas noches, había dado muerte a un hombre sólo que se había detenido a escuchar su llanto.

Pero el muchacho le aseguró que él era fuerte, prometiéndole salvarla de las maldades de Achane, aunque le costara la vida.

Xicóatl, al presentir la llegada del genio del río, desapareció apresuradamente debajo del agua, y poco después se escucharon cantos y música, entonados por las extacxóchitl, las que tenían la misión de entretener y distraer a la cautiva.

Desconsolado Tlatóhmitl por la brusca huida de Xicóatl, empezó a gritarle que no desesperara, que él la salvaría.

Estaba inclinado sobre el agua, agitando su antorcha, como si tratara de descubrir a la estrellita, cuando presintió que cerca de él había un ser extraño, y al alzar la antorcha tratando de descubrir al rezagado, se encontró frente a frente con Achane, que le miraba burlón.

Tlatóhmitl, sin asustarse, le exigió libertara a la hermosa Xicóatl; pero el genio del río enfurecido le respondió, que era un tonto, pues Xicóatl le amaba, y al asegurarle el muchacho que eso era mentira, carcajeándose desapareció el genio, no sin antes oír cómo Tlatóhmitl le gritara que era un asesino.

Desesperado el joven por sentirse impotente para destruir el encanto maléfico que aprisionaba a la hermosa estrellita, decidió buscar el auxilio de Yohuatl, la Señora de la Noche.

Y fue tan angustioso el ruego, que la invocación de Tlatóhmitl se elevó al firmamento, llevando el doliente mensaje; por lo que la señora Yohuatl, compadecida, dejó el cielo llegando hasta el río y dirigiéndose al muchacho le dijo:

—Tlatómitl, he escuchado tu ruego. Tú eres bueno y noble y por ello te doy este pedazo de nube que tiene virtudes mágicas ¡te bastará agitarlo sobre el agua, para que la desobediente Xicóatl obtenga su libertad.

Y apenas desapareciera la señora de la Noche, cuando el joven apresuradamente agitara sobre las aguas el pedazo de cielo, y roto el sortilegio de Achane, surgió de las aguas Xicóatl, libre, la que después de darle las gracias al muchacho, tornó al mundo de los astros.

Absorto estaba Tlatóhmitl mirando cómo se alejaba la Estrellita Errante de la tierra, cuando apareció el genio de las aguas sobre el puente en actitud amenazadora.

Achane, enfurecido, le reprochó al joven bueno y noble el que le quitara a su amada Xicóatl, por lo que tal agravio lo iba a pagar con la vida, por lo que usando de su maleficio dio muerte a Tlatóhmitl, quien quedó tendido sobre el puente, con su antorcha aún encendida, a su lado.

¡Xicóatl había vuelto a los dominios celestes!

Macpaxóchitl

(flor de manita)

MEXICA

Niña linda, da sin miedo
tu sincero amor,
que la buena macpaxóchitl
la roja y encendida flor
cura los males del corazón.

Ahuizotl —nutria— octavo rey de Tenochtitlán, iba a tomar sus alimentos.

Sentado a la cabecera del salón, sobre un cojín de piel de tigre, esperaba le fueran servidas las condimentadas viandas.

Cinco viejos y nobles sacerdotes se habían situado cómodamente tras de él, y el soberano compartía con ellos su comida, y con ellos charlaría de mil cosas interesantes.

Ahuizotl el temible, vestía sencillo: maxtli de tela de algodón adornada de delgados flecos y bordados de oro; *timatli* —capa— también de algodón blanco y azul; sandalias de suelas de oro y correas de tigre incrustadas de piedras preciosas.

Las más hermosas esclavas del palacio entraban sin ruido, sin apresuramiento, portando una mesa baja, cubierta de manteles de algodón, la que colocaron frente al monarca.

Tras ellas aparecieron otras jóvenes, lo mismo de hermosas, conduciendo un precioso xicalli —jícara— de oro lleno de agua perfumada en la que humedeció sus dedos el rey, secándoselos después en el lienzo bordado que le presentara la más niña de las jóvenes.

El rey iba a empezar a comer.

Varios esclavos colocaron frente a su mesa un cancel de madera barnizada, con incrustaciones de pieza de oro y piedras preciosas, con el fin de substraer a las miradas profanas, las personas del rey.

Segundos después se presentaron los esclavos portando platos colmados de suculentas viandas: pan de maíz amasado con huevos de ánade, carnes, pescados, aves en diferentes condimentos; frutas de todos los climas, dulces, flores confitadas, licores de frutas, cerveza de raíz, y bebidas enfriadas con el hielo traído desde lo alto del Popocatépetl.

Mientras el rey comía, unos jóvenes tendieron frente a él estera policromada, sobre la cual no tardaron en saltar enanos y jorobados, diciendo bromas e imitando a damas y caballeros de la corte.

Ahuizotl poco sonríe, en cambio conversa animadamente con los ancianos a quienes convida de las viandas.

Cuando hubo terminado con los postres, frutas en miel de abeja, llegó hasta el rey una preciosa doncella, la que arrodillada le presentó la jícara chocolatera con adornos de oro y gemas y cucharadita de oro, la que contenía la bebida de los dioses ricamente preparada.

El rey, sin dejar de conversar lentamente movía la olorosa bebida endulzada con miel de maíz y aromatizada con pétalos de flor y vainilla.

Y fue en ese instante preciso cuando hizo su entrada Xóchitl —flor— niña delicada de tez pálida y ojos negros y rasgados, boca encendida y pequeña y negro cabello que caía flotando sobre sus hermosos hombros.

Xóchitl vestía cueyetl y huipilli preciosamente bordados con colores vivos; en los tobillos argollas de oro y piedras preciosas, en las muñecas, forjados brazaletes y sobre el núbil pecho, finísimos collares.

¡Xóchitl era la más amada de las esposas! Hija de un rey vencido, fue hecha prisionera por los enemigos de su padre, quienes la llevaron al rey Ahuizotl como botín de guerra.

Ahuizotl cuando la vio pensó en hacerla su esposa, sólo que aún era muy niña y había que esperar creciera y se transformara en una hermosa mujer.

Pero aun pequeña, al rey se le encendían los ojos cuando la miraba.

Xóchitl todos los días llegaba en el preciso instante en que el gran señor había terminado de comer.

A ella le estaba encomendada la tarea de preparar el tabaco mezclado con liquidámbar que el rey acostumbraba fumar en una pipa en forma de tecolote con ojos de rubíes y caña artísticamente labrada.

Xóchitl, trayendo la pipa en las manos llegaba hasta el braserillo, frente al que se arrodillaba sobre el pavimento pulido o iba colocando sobre las brasas, las hojas de tabaco seco, las que despedían humo fragante. Luego, las manos delicadas llenaban la pipa, y cuando el rey devolvía a una esclava el recipiente vacío del chocolate, ella, ruborosa, le presentaba la pipa.

El rey, sin dejar de deleitarse en la belleza de Xóchitl, con placer, adormecía su hastío, aspirando lentamente el humo del tabaco, mirando placentero cómo el humo de su boca escapaba y ascendía hasta el techo.

La princesa esclava, era la más querida de las esposas del señor Ahuízotl el cruel, el que sentía celos hasta del aire que respiraba la niña silenciosa y sumisa.

Todos los movimientos de Xóchitl eran suaves y armoniosos y el rey al verla moverse se le antojaba delicado botón de azucena, mas él hubiera querido para su deseo, fuera como un tulipán rojo y sensual, toda una flor de pasión.

Ahuizotl, porque tenía que esperar, le había pedido a Tencua —labio partido— la encargada de la vigilancia de sus esposas, que volcara su sabiduría en Xóchitl; y la vieja maliciosamente le había dicho:

—Espera señor, espera, que el delicado botón no tardará en convertirse en sensual flor.

Pero Xóchitl la prisionera no amaba al rey.

¿Cómo poderlo amar si era la causa de todas sus desgracias? ¿Acaso no había sido el señor de Tenochtitlán quien mandara sus ejércitos para que vencieran a los guerreros de su padre? ¿Acaso no había sido Ahuizotl el cruel, quien la arrebatara del lado de los suyos y contra su voluntad la retenía en palacio? ¡Cómo poderlo amar!

En cambio ella amaba al viejo sacerdote Macuilcuatli —Cinco Aguilas—, aquel que habitaba el recinto de Tezcatlipoca, corazón de Tenochtitlán, en donde se alzaba el gran Teocalli.

Macuilcuatli era sumo sacerdote. Macuilcuatli habitaba en el lugar de los preferidos de los dioses. ¡Xóchitl amaba al viejo Teopixque!

Cuando iba al teocalli, espiaba su paso y se ruborizaba tras los pilares ansiando que esos ojos de fuego descubrieran su núbil cuerpo y su imprecisa figura.

Y aquel amor había nacido una mañana en que en compañía de Tencua fuera al mercado de Tlatelolco, cruzándose con el sacerdote que iba seguido de algunos mancebos. Ella estaba envuelta en la mirada de admiración de los mercaderes que descubrían en su persona a la mujer de otras tierras.

Macuilcuatli la contempló fugazmente y sus ojos afiebrados por el ayuno parecieron llenarse de fuego. Xóchitl le sonrió sin bajar la cabeza, y eso fue todo ¡todo!; pero desde aquel instante la mirada de llama le causó insomnio a la niña.

Un atardecer, enloquecida de amor, entró furtivamente en el aposento del gran sacerdote que oraba. Ella silenciosamente se arrodilló cerca de él. Había entrado tan calladamente que el viejo no se dio cuenta de su presencia; fue su perfume de flores que la denunció.

El sumo sacerdote volvió la cabeza y al verla tan sumisa, tan temblorosa, apaciguó su indignación, acabando por contemplarla sin sorpresa.

El humo de los incensarios era agradable y ella aspirándolo profundamente sonreía con deleite.

De pronto el sacerdote, airado, se acercó a ella, agitando amenazador los puños.

—¿Qué quieres aquí? ¿por qué has profanado el sagrado recinto?

Xóchitl, sin dejar de sonreír dulcemente le miró a los ojos, y Macuilcuatli quedó atónito al descubrir en esa pupilas oscuras el secreto de aquella alma niña.

—¡Aquí no encontrarás hombre!— aseguró el sumo sacerdote, y mucho antes que él pudiera adivinar sus intenciones, la niña se abrazó a sus rodillas acercando su rostro al cuerpo sagrado.

—¡Estás perdida! gritó asustado el viejo servidor de los dioses— si te descubren te matarán. ¡Vete!

Xóchitl se puso de pie, desafiante; frente al sacerdote quedó envuelta en penunbra.

La noche se acercaba y arrogante aseguró:

—¡Qué me importa la muerte, si tú me amas y yo te amo!

El sacerdote la tomó de un brazo y la sacudió, gritándole:

—¡Vete! ¡Vete! Eres muy niña para morir.

—No me marcharé. Esta noche me quedaré aquí y nadie lo sabrá.

—¡Vete! ¡Y si no te vas, yo mismo te denunciaré al rey, mi señor!

—No lo harás— provocativa contestó Xóchitl.

—¿Qué es lo que me lo puede impedir?—

La niña se encogió de hombros, después se acercó a él, y puso sus dos manos sobre el corazón del sacerdote. Bajo el pecho corría la sangre alocadamente.

El viejo servidor de los dioses, la tomó bruscamente de las manos y la sacudió:

—¿Qué espíritu maligno se ha apoderado de ti? Vuelve a tu aposento antes de que sea tarde.

Y tarde fue: porque en el vano del muro, envuelto en sombras, se elevaba airada la silueta del gran Teotecuhtli —el señor del dios— envuelto en su túnica de algodón a rayas blancas y negras.

Y no tardó mucho en saberse el pecado de Xóchitl.

Los celos más crueles y el odio más profundo se apoderaron del rey, que sin querer saber nada de su muy amada esposa ordenó el terrible castigo:

—Yo, señor, de Tenochtitlán, ordeno le corten las manos y le traspasen el corazón con una flecha.

Cuando Xóchitl escuchó la sentencia, no lloró ni pidió clemencia, sólo como último deseo solicitó la gracia de morir en la tierra que la viera nacer.

Y a la hora que llegaron los encargados de su muerte, la encontraron serena y tranquila frente a la efigie de la diosa Xochiquetzalli, a quien pedía misericordia.

Cuando llegó la noche, fue sacada sigilosamente de palacio.

Largo, muy largo fue el recorrido.

Atrás, muy atrás quedaba el lago y frente a ellos surgían las montañas y los bosques.

Por varios días caminaron y caminaron.

El rey Ahuizotl había consentido en que se le diera muerte en tierras del reino que fuera del padre de Xóchitl.

Así llegaron a tierras boscosas y del valle frío de los matlazincas donde se detuvieron.

Todo era silencio..

La niña no preguntó nada; pero un temblor imperceptible le recorría el cuerpo. ¿Cuál sería su castigo? ¿Le arrancarían los ojos? ¿Le cortarían la lengua?.

Los verdugos no permitieron ahondaran sus cavilaciones, porque uno de ellos la obligó a extender las manos, y acercándoselas sobre un tronco muerto, las asentó, sujetándoselas fuertemente.

Fue todo tan violento, que sólo un grito se escuchó, un espantoso grito, y dos delicadas manos de rojas uñas rodaron al pie del tronco muerto.

Después, un cuerpo sin vida caía con el corazón atravesado por una flecha.

Pasaron los años. En la corte del rey Ahuizotl ya nadie se acordaba de la niña Xóchitl, aquella que todos los días presentaba al rey la pipa cargada de picietl —tabaco— pues una nueva esposa la había sustituido.

Pero un día, cuando el rey acababa de comer y la esposa predilecta le ofrecía la caña de oro, tres pochtecas —comerciantes o mercaderes— recién llegados de tierras matlazincas —lugar de redes— le llevaban a su señor un raro obsequio: dos flores rojas en forma de mano, que parecían implorar piedad.

Ahuizotl al mirarlas se estremeció: eran las manos de Xóchitl que él tantas veces acariciara.

Sobrecogido de terror, dejó de fumar, preguntando ansiosamente dónde las habían encontrado.

Los pochtecas le relataron cómo al atravesar tierras del valle frío, en un lugar llamado Huichila, se elevaba un árbol nunca antes visto, pues entre el verde de sus hojas, destacábanse aquellas manos rojas implorantes. Ahuizotl, terriblemente espantado envió en busca de los nahualostohuán, hechiceros que habitan cavernas —los que no tardaron en informarle que no habían sido en vano los ruegos de Xóchitl a la diosa Xochiquetzalli, señora de las flores y el amor, porque tan gran señora, compadecida de su devota, había hecho inmortales sus manos, dándoles el milagroso hechizo de ser curativas para los males del corazón, llamándoseles desde entonces Macpaxóchitl —flor de manita.

La niña del Cerro de los Ahuehuetes

MEXICA

Esto que parece Leyenda, es sólo una hermosa página de nuestra Historia. Su bella realidad nos descubre cómo seres tan alejados de este mundo, fueron poseedores de grandes virtudes que llegaron a escribir en las páginas del tiempo la historia de amores tan nobles y puros como el que a continuación narramos.

Aquel sitio era hermoso, muy hermoso.

El cerro estaba rodeado de un precioso lago que tenía a sus pies una corona de ahuehuetes —viejos de agua—; además pastos, flores y albercas deliciosas.

A ese lugar de maravilla habían llegado los aztecas después de un largo peregrinar.

Allí habían elegido a su primer rey: Huitzilíhitl—pluma de pájaro, en Chapultepec —cerro del Chapulín o langosta, un lugar de pájaros y tranquilidad bien se parecía a aquel Aztlán que ellos tanto amaban. Y aquellos hombres vivían tranquilos, a pesar que estaban rodeados de enemigos.

Pero un día, un mal día, a la hija del rey Mazatzín, señor de los chichimecas, se le ocurrió irse a bañar en la laguna.

La princesa y sus doncellas escogieron un lugar en que los sauces llegaban hasta el agua y había una gruesa cortina de tule, y aquel grupo de mujeres jóvenes jugueteaba, cuando de pronto se abrieron los tules y apareció el sacerdote Tzippantzín y un grupo de pescadores meshicas que empezó a corretearlas y a burlarse de ellas, faltándoles al respeto y ofendiéndolas gravemente.

Cuando el señor Mazatzín fue informado por su llorosa hija de tal cosa, su indignación no tuvo nombre, y colérico decidió arrojar a los meshicas de esas tierras de Chapultepec que le pertenecían y eran patrimonio de la nación chichimeca. Y no sólo fue eso, sino que invitó a sus vecinos a destruir y acabar con aquellos extraños tan perjudiciales a la armonía y tranquilidad de los demás pueblos.

Y no tardaron los vigías apostados en Chapultepec en dar la noticia, que el señor de Chalchiutlatocán, de Culhuacán, el señor Iztactecuhtli, el señor de Xaltocán, y el señor Quinatzín de Tezcuco, seguidos de los colhuas, tepanecas y xochimilcas llegaban con intenciones de destruirlos. Cuando lo supieron la reina Xochipán y la esposa de Tenoch, la señora Tenonochcilpán, unidas a las princesas reales, hijas del rey Huitzilihuitl llamadas Tezcaxóchitl y Chimaloxóchitl, fueron a refugiarse entre las mujeres y niños de la tribu, en tanto que los guerreros se preparaban para defenderse.

Y mientras las mujeres preparaban hondas y dardos. los valientes meshicas no se alarmaban. Ellos sabían que nunca eran bien vistos ni queridos por altivos, por su audacia, por su culto religioso; mas ellos sabían que su esperanza en el cielo no sería inútil.

Cierto que Chapultepec era hermoso como el Aztlán nunca olvidado, que constituía un paraíso, pero el dios les había advertido que ése no era el lugar prometido.

Y porque aún no llegaba la hora de encontrar la tierra prometida, la desolación y la ruina eran su alimento diario, y esclavos o libres, nada les importaba, pues ellos bien sabían que su dios Huitzilopochtli jamás los abandonaría.

Y la hora fatídica había llegado.

Esa hora tan temida y amarga estaba allí, desatándose contra los meshicas una guerra cruel y sangrienta. Era un pueblo contra muchos pueblos y el resultado había sido el desastre.

Los meshicas, hombres, niños y mujeres morían entre alaridos y ayes salvajes. El ejército del rey elegido en Chapultepec había sido derrotado.

El rey Huitzilihuitl, la reina Xochiapán y la princesa Tezcaxóxhitl habían sido aprisionados por los guerreros de Culhuacán; pero en cambio Tenoch y un grupo reducido de viejos y heridos, habían podido huir del desastre, escondiéndose entre los tules.

Tambén la dulce y bella princesa Chimaloxóchitl, la más pequeña de las hijas del rey Huitzilihuitl, había podido escapar del desastre, escondiéndose tras unas peñas cubiertas de tules, casi oculta toda por el agua de la laguna.

Así, desde su escondite pudo contemplar con lágrimas en los ojos, cómo altivos y serenos, caminaban a la esclavitud o a la muerte, su padre el rey, su madre la reina y su hemana la princesa.

¡Cómo lloró en silencio! adivinando lo que se les esperaba; tal vez al final del camino encontrarían la muerte.

¡Cómo lloró en silencio!

Con el corazón herido presintió que ésa era la última visión que iban a tener sus pupilas empañadas por las lágrimas, de la familia real.

El rey Cocox, uno de los enemigos, con qué placer, rodeado, de su corte, contemplaría la humillación de ver ante él y sus vasallos, a la familia real desnuda y vencida.¡

Y cuando ella, enloquecida de dolor deseaba morir, una mano ruda, tomándola de los cabellos la arrastró, sacándola de su escondite. Era un guerrero cruel que la golpeaba con su arco, tratando de flecharla, dando gritos de júbilo; pero ¡Oh dios! una mano misteriosa, cuando la flecha iba a salir del arco, detuvo la mano asesina.

Chimaloxóchitl buscó con la mirada a su salvador, encontrándose conque era un jefe enemigo, quien le ordenaba a su cautivador, no perder tiempo en matar a los prisioneros, sino debía obedecer órdenes del rey, de que fueran sólo amarrados y abandonados, para más tarde recogerlos, para así tener tiempo de seguir acabando de destruir a la tribu.

Ya Chapultepec estaba desierto; ni una fogata, ni una voz. Los meshicas con vida se habían dispersado, los muertos allí estaban, quietos, silenciosos, pegados a la tierra que tanto se parecía a Aztlán.

Sólo allá, al pie del cerro, junto a los campos, junto a los campos salpicados de flor, quedaban los cautivos, temblorosos, sangrantes, con una mueca más espantosa que la muerte.

Mudos de terror, entre las sombras captaban los ecos y los gritos de los vencedores y lo ayes de los moribundos.

¿Qué sería de ellos? ¿No mejor hubiera sido morir que sufrir la ignominia de la servidumbre?

Chimaloxóchitl en silencio imploraba a los dioses piedad para sus padres y su hermana; piedad para Tenoch el sacerdote, brazo fuerte de su raza; piedad para todos los suyos. ¡Y piedad para ella...para ella!

Cuando teniendo los ojos cerrados invocaba a los habitantes del cielo, y creyendo que todo terminaba para ella, oyó una voz ruda y varonil que ordenaba la respetaran.

La princesa meshica abrió sus pupilas; en su abstracción religiosa no se había dado cuenta de que un grupo de fieros guerreros se la disputaba como botín de guerra.

Tal vez la súplica a sus dioses había sido escuchada y cuando iba a ser víctima del intento brutal de los vencedores, un capitán que tenía esposa e hijas enérgico ordenó:

—Absténganse de cometer tal ofensa; la niña es muy bella y hay que llevarla a Tepetkapán para darla como regalo a nuestro señor Quinatzín. Y no tardó en llegar la cautiva ante la corte del rey Tezcucano.

¡Cómo brillaron los ojos del rey cuando se posaron sobre Chimalxóchitl! ¡Era tan hermosa, tan joven, tan sencilla y tan dulce en el mirar, que al instante aquilató las cualidades físicas y morales que la adornaban.

Quinatzín, enamorado de ella, ordenó que se atendiera en todos sus deseos, rodeándola de comodidades y ofreciéndole ricos presentes.

Tanto le había impresionado la niña, que a todo momento y a todo instante ordenaba la condujeran a su presencia.

Chimaloxóchitl, a pesar de su juventud, comprendió las malas intenciones del rey. Ella era su esclava; ella tendría que aceptar su amor porque estaba cautiva, indefensa, desamparada.

Fue una tarde de angustia aquella en que se hizo más profundo su dolor, al saber la cruel muerte de sus padres y su hermana, cuando el rey llegara a su alcoba exigiéndole obediencia.

Tal ultraje a su persona y a su duelo, e impulsada por el orgullo y dignidad de su raza, que sin ninguna turbación le dijera al rey:

"Abstente señor, de tocar mi virginidad, no insultes a la miseria, ni manches tu dignidad; no puedo permitir que hagas conmigo lo que pretendes, pues has de saber que estoy destinada a aderezar y servir en el templo de mi dios. El tiempo de mi voto es de dos años, y hasta que no cumpla tal promesa, no he de hacer otra cosa. Así señor, manda o destina el lugar que en él haga mi ofrenda al dios, por lo que debo de ayunar y abastecerme de todo."

Quinatzín quedó sorprendido al oír tal razonamiento, que le obligó a aquilatar el valor demostrado por la desgraciada y débil joven, que se hallaba frente a todas las seducciones y caprichos de un rey vencedor; porque Chimaloxóchitl sólo era una cautiva, una sierva, una esclava, botín de guerra.

Pero tan poderoso señor, avergonzado, dejó la estancia y sin mucho pensarlo designó el lugar del cumplimiento del voto, al sur de Tequizquináhuac en Huitznáhuac.

No tardaron los sacerdotes y vasallos en hacer todos los preparativos. El día de la partida de la doncella el rey quiso verla por última vez, sin turbar su tranquilidad con su presencia, por lo que decidió ver su salida de palacio, desde donde ella no pudiera descubrirlo.

Así, la vio alejarse segura en su paso, serena en su porte, en tanto que él presentía que ya no podría amar a ninguna mujer, y si no regresaba por un signo fatal, ¡siempre, siempre la recordaría!.

¡Lento, muy lento se le hizo al rey el transcurrir del tiempo, y sólo se calmaban sus ansias de enamorado, cuando los sacerdotes le daban la noticia de que su muy amada princesa meshica, devotamente ayunaba y cumplía con todos los sacrificios impuestos por su religión, y escuchando tales informes, su corazón latía apresuradamente.

El término de los dos años de encierro de Chimaloxóchitl, fue de gran júbilo para el rey Quinatzín.

Ese día la corte y los vasallos engalanaron sus casas, el palacio se llenó de flores y regalos y el mismo rey, trajeado con sus más lujosos arreos, fue a recibir hasta las puertas de la ciudad, a su futura reina, la dulce y joven doncella meshica.

Por largas horas, rodeado de sus consejeros, el rey Quinatzín esperaba ansiosamente a la amada princesa; y cuando la vio llegar toda de blanco, acompañada de los sacerdotes, sintió tal ternura en su corazón de guerrero y rey, que no pudo contenerse más y fue hasta ella para robarle a sus ojos el secreto de su corazón.

Y el poderoso rey de Tezcuco se sintió feliz, muy feliz al sorprender en esos ojos bellos y tristes, la luz del amor.

¡Chimaloxóchitl la cautiva, había sido elegida por sus dioses, como esposa y reina del poderoso rey de Tezcuco!

Mucuy

(tórtola)

MAYA

Bajo un crepúsculo íñigo y púrpura, surgió la ciudad al fin del largo camino.

Al verla, los cansados peregrinos apresuraron el paso. Llegaban polvosos y sedientos a la ciudad maravillosa de majestuosos templos y palacios, en pos de las mercedes de Kukulcán, serpiente emplumada.

Cuando los últimos jirones púrpura se rasgaban como guiñapos, la caravana invadió la plaza de las mil columnas, buscando el agua vivificante de Xtoloc—cenote, fuente de abastecimiento en Chichén Itzá.

Cuando todos hubieron apagado su sed y refrescado sus carnes sudorosas, se dirigieron al gran templo de Kukulcán.

Aquellos peregrinos venidos de tierras lejanas, traían a los dioses de la Meca Maya, ofrendas de oro, jade, arcilla, copal, cascabeles, hachas ceremoniales, objetos preciosos de madera, hulchés—palos arrojadizos— tejidos y trofeos de guerra.

Esa noche, por las gradas del imponente templo de cabezas colosales, subían y bajaban los altos jefes militares, los sacerdotes y los adivinos; en tanto que los humildes peregrinos, con pupilas brillantes de fe, miraban las grandes entradas de macizos dinteles, de columnas de cabezas de serpientes que se proyectaban en la base y subían hasta los cuadros capitales.

Tras la misteriosa puerta de jamba ricamente esculpida y vigas de chico zapote admirablemente labradas, en la cámara secreta, los sacerdotes de túnicas largas y blancas, cabellos crecidos y enmarañados untados de sangre de las víctimas, con voz apagada por la emoción hacían comentarios sobre la belleza incomparable de la esclava que se mostraría al pueblo, en el juego de pelota.

En tanto, allá en la estancia de cortinajes y tapices raros, bajo un pabellón de plumas y rodeada de cojines caprichosos, Mucuy dormía sobre el mullido lecho.

Varias esclavas agitaban sus abanicos refrescando la cálida atmósfera.

Tras la estancia, en amplia sala, habían tomado asiento en sillería de formas caprichosas las damas más nobles, las que habían ornado con flores de brillantes matices y ansiosas, esperaban acompañar a la bella mujer.

En otra sala, los guerreros ataviados de oro y pedrería charlaban y paseaban; sólo Mucuy seguía durmiendo.

Cerca de medianoche empezaron las fiestas, en los teatros los balzames—actores— luciendo con propiedad el traje que usaron sacerdotes y príncipes, a quienes con gracia arremedaron al igual que a sus servidores, haciendo que el público prorrumpiera en carcajadas y aplausos.

Más lejos, en el teatro del Cenote, se sucedían los bailes y cantares y las improvisaciones de los poetas.

Toda la ciudad estaba de fiesta y nadie dormía; sólo Mucuy, indiferente a todo, gozando en el mundo de la quimera, sonreía y suspiraba en sueños, en tanto que príncipes, guerreros y sacerdotes la contemplaban admirados de su prodigiosa hermosura.

Mucuy tenía los párpados como selva oscura, su carne pálida como perla, sus senos como dos magnolias, su boca como flor de colorín y en la horadada ternilla, completando su belleza, un disco de jade, así como zarcillos de oro en el lóbulo de sus orejas. ¡Qué hermosa ofrenda a los dioses constituía Mucuy! Y todos los que la miraban daban gracias al cielo por permitir que tal preciosidad fuera la mensajera de sus peticiones.

Por varios días la linda doncella constituyó la expectación de sacerdotes y nobleza, hasta que el día tan ansiado llegó.

Los habitantes de Chichen Itzá, así como los peregrinos venidos de todos los lugares del imperio y aun de más allá del país del quetzal, se dirigieron hacia las palmeras y colorines del tactli —juego de pelota.

En el gran patio del juego de pelota, frente al templo de los jaguares, fue conducida la belleza esclava.

Teniendo como fondo las fauces abiertas de las Serpientes Emplumadas, Mucuy, la princesa cautiva, con altivez de reina, miraba en reto al pueblo que la admiraba.

Ella, la hija de reyes, educada en la escuela de amor a la muerte, sabiendo el fin que le esperaba, se sentía reina y no la esclava.

Su atavío de camisa de ricos bordados, su enagua angosta adornada de red de malla salpicada de perlas y anchos flecos de cuentas de oro, su sartal de piedras preciosas, con medallón central, sus pendientes de oro y pedrería, sus brazaletes de las piernas, sus abrazaderas y sus sandalias con lazos y labrado de pluma, constituían la admiración de pueblo y nobles.

Mucuy que no ignoraba su próximo fin, indiferente, distraída, parecía sólo mirar la cercana anilla de piedra maciza, en cuyo borde estaban labradas dos serpientes enlazadas.

Un griterío ensordecedor acogió la presencia de los juadores. Llegaban desnudos, cubiertos sólo con sus maxtles y sus pañoletas de venado que se habían atado a los muslos.

No tardó en empezar el juego. La elástica pelota la golpeaban con tal destreza que durante una hora no cayó al suelo.

Mucuy indiferente a todo, fijaba su vista en la raya verde del juego. De pronto un grito espantoso se escapó de todas las gargantas: un jugador había caído como tocado por un rayo, al recibir un fuerte golpe en la sien que lo había privado de la vida.

Después de que fue retirado del patio, el juego prosiguió y las apuestas se multiplicaban entre nobles y guerreros. Allí de las joyas, de las mantas, de las armas, de las plumas, de los esclavos y de las bellas mujeres.

Uno de los hercúleos jugadores había logrado meter la pelota por el agujero de piedra; la gente enloquecida lo cercó, lo honró cantando alabanzas en su honor, dándole por premio plumas, mantas, maxtlis y joyas.

Y tras eso, hubo carreras y gritos; los espectadores corrían perseguidos por los partidiarios del vencedor, que trataban a toda costa, de recoger, las mantas, las joyas y demás cosas de valor que tenía derecho a poseer de los perdedores, el ganador.

Al terminar el juego no tardaron los muros en quedar vacíos.

Cuando Mucuy iba a dejar su sitio, descubrió fijos sobre ella las pupilas oscuras del jugador vencedor. La princesa esclava se estremeció involuntariamente; aquellos ojos negros, profundos, ardientes, parecían de fuego.

A Mucuy le quedaban unas cuantas horas de vida y por ello, tal vez esa mirada la enterneció, recordándole que era joven y ansiaba el amor en todas sus manifestaciones.

Todo el día y la noche fueron de fiesta y embriaguez en toda la ciudad, mas Mucuy no durmió.

A la mañana siguiente, apenas surgió por oriente la aurora cuando el cortejo parte por la ancha y hermosa calzada que lleva al gran Cenote. Delante de él iban los sacerdotes con sus trajes deslumbrantes; los guerreros con sus vistosos arreos y relucientes penachos; los nobles con sus atavíos de oro y pedrería. Y tras esa magnífica comitiva iban las mujeres adornadas con flores perfumadas, las que llevaban cargando la ofrenda de piedras preciosas, de oro, de jade y mil tesoros más.

Bajo la pálida luz del alba que todo lo velaba con polvo de perla, Mucuy evadida de la triste realidad, aún sueña con las pupilas negras del jugador, y mientras la fastuosa procesión prosiguió entre el sonoro acorde de los instrumentos musicales que acompañaba los bailes fantásticos, ella, suspiraba y soñaba con sueños dulces de amor.

Poco a poco la procesión interminable se fue acercando al Gran Cenote de paredes tajadas en la peña —el agua, verde como jade en cuyo fondo se reflejaba el verdor de los árboles que le rodean, parecía mirarla con ironía.

Cerca, muy cerca ya quedaba el templo de los mil dioses mayas y leones labrados; el de las cariátides y hombres desnudos; por eso el paso de la compacta peregrinación se hizo más pausado.

En el cielo las nubes empezaban a abrirse en flor, dejando ver el oro de sus pistilos, cuando la gran ceremonia empezó.

Mucuy oyó los cánticos y las oraciones sagradas. Insensible contempló cómo arrojaban al fondo del Cenote Sagrado placas de oro y cobre repujados, máscaras, copas, cascabeles, pendientes, brazaletes, aretes, anillos, botones de oro y perlas, cascabeles de oro o cobre, hachas ceremoniales, cuentas lisas o labradas de jade, objetos de maderas preciosas, hulchés, telas de algodón, ornamentos de hueso labrado, conchas, cráneos de hombres y mujeres, pastillas dapon—incienso—depositados en bellas vasijas de color turquesa.

Cuando el cielo se iba espolvoreando con polen de oro, los sacerdotes se acercaron a Mucuy y tomándola de brazos y pies, ágilmente la arrojaron a lo profundo de las aguas.

Ni un grito, ni un ruido se escucharon. Las aguas espesas y profundas recibieron en su seno a la virgen.

Toda la mañana fue de clamor y oraciones en la ciudad sagrada. Y fue hasta el otro día, cuando el sol semejaba un disco de oro, que los sacerdotes descubrieron flotando entre los lotos a la sacrificada.

Al instante le fue arrojada una cuerda, a la que débilmente se prendió la doncella.

Cuando fue depositada hasta el borde del cenote estaba muy pálida, con los ojos extraviados mirando a todos sin ver ni comprender nada, sin escuchar ni contestar las preguntas de los sacerdotes que le exigían dijera el mensaje enviado por los dioses, informándoles qué clase de año agrícola les tenían reservado sus divinidades.

Mucuy, que vuelta de las profundas aguas había adquirido por tal hecho atributos divinos, fue llevada con gran reverencia al palacio de las grecas y cornisas labradas, de los medallones con figuras.

Acompañada de los sacerdotes subió la monumental escalera que le llevaba a la casa de las vírgenes en donde fue recibida por la Ixuacán Katú —la que está subida en guerra—, abadesa de la sacerdotisa, la que con veneración la condujo a la sala principal para que todas las vírgenes la adoraran como la privilegiada doncella que pudo hablar con los dioses, y que por tal motivo sería la diosa. Como Ix—Zuhuy—Kakla, hija del rey.

Pero Mucuy que había vuelto del más allá, aún era perseguida por el mirar de los ojos negros del jugador.

Pasó el tiempo y la nueva diosa no era feliz en la casa de las vírgenes. Todos sus afanes, todos sus desvelos los constituía el amor sin esperanza por el hercúleo jugador.

Día y noche se abstraía en la oración. Para ello no había más vida ni más dicha que el deseo de volver a ver aquellos ojos color de obsidiana.

Una mañana, la Ixuacán—Katún fue en su busca para que en el templo de los dioses el pueblo adorara a la diosa viva, pero en el lecho de la virgen, sólo encontrábase una avecilla tímida que humildemente les miraba.

A los gritos de la sacerdotisa acudieron las vírgenes del santuario que al enterarse de la desaparición de la diosa, se dispersaron en su busca por todo el edificio sagrado, sin poderla encontrar.

Fue el chilán o adivino que llegaba conducido en hombros por varios esclavos, el que en silencio se acercó a la asustada avecita, a quien con suavidad tomó entre sus manos de uñas largas, y después de acariciar su pequeña cabeza le dijo:

—Mucuy, diosa virgen, los dioses te han permitido vayas en busca de aquellos ojos negros que te han hechizado pero en castigo de tal sacrilegio, tu queja de amor será eterna.

Y abriendo las toscas manos dejó escapar a Mucuy, la que agitando sus alas voló en busca del amado.

Kay Nicté

(canto a la flor)

MAYA

Cuando Cabil —dulce— fue hasta el campo en busca de su yema, o amado, no lo encontró.

Era el décimo día de inútil espera, y como si sólo hasta ese atardecer se diera cuenta de que Ceelem —el joven, el hermoso— no volvería a buscarla, rompió en amargo llanto.

Era tan desgarradora su angustia, que por la verde extensión se dispersaron sus ayes y sus gritos. ¡Ceelem era su aliento, era su vida, perdido él, ya nada le quedaba para vivir! ¿Para qué?

Cuando sobre el campo no había ya ni una sola brizna de sol, el miedo a la soledad, el terror al espíritu Ah Muuc —el que estaba oculto— de quien había oído a sus mayores contar cosas perversas, le hacen olvidarse de su pena y corre, corre como alma en pena camino del poblado.

Terriblemente pálida, totalmente aniquilada, regresó a su choza, sin fuerzas para nada y sin oír los reproches de su hermana mayor se dejó caer en su hamaca y rompió a llorar en silencio. Era un llanto de agua callada y suave, era un llanto sin suspiros ni sollozos.

Por la noche, insome, escuchó las voces de las gentes del pueblo que le repetían que jamás Ceelem volvería, pues hacía tiempo que había dejado el pueblo, asegurando nunca volvería a su tierra. Pero ella, que lo amaba con ese amor loco de mujer—niña, no podía creerlo. No podía, no podía, ya que Ceelem le había jurado amor eterno y por meses y meses consecutivos había ido puntual a su cita de amor.-¿Por qué? ¿Por qué la había olvidado?— Y esa pregunta constantemente formulada, siempre quedaba sin respuesta. Ese por qué constituía su obsesión, su tormento.

El primer día que comprobó la triste realidad creyó volverse loca; el segundo alimentó la esperanza de que todo aquello sólo fuera un mal sueño; y porque no creyó en su abandono, seguía acudiendo a la cita, alimentando la esperanza de volverlo a ver.

Mas los días pasaban; una mañana en que tenía los ojos rojos de tanto llorar, la vieja Ná (madre) llegó a hacerle compañía. El pueblo aseguraba que la anciana sabía muchas cosas de magia.

Cabil estaba en la choza completamente sola, y al oír el saludo de la vieja, indiferente siguió su labor sin levantar el rostro.

Fue la misma Ná la que después de sentarse sin que nadie se lo pidiera y observando en silencio a la pequeña, acabara por decirle —Vamos mujer, habla de lo que tengas que decirme y suelta ese llanto que te está sofocando el pecho.

Las manos de la bordadora se estremecieron y como si sólo estuviera esperando esa ocasión para desahogar su pena, se cubrió con las manos el rostro y rompió en amargo llanto.

La vieja Ná, aquella que conocía todos los secretos de la magia y cuyos ojos lagrimosos solían leer los pensamientos de los hombres, la dejó llorar sin decirle nada; sólo cuando Cabil se retorciera lo menos de angustia, compadecida del tormento de la doncella, levantándose trabajosamente de su asiento y acercándose cariñosa a ella, le dijera:

— ¡Bah¡, para qué tanto "moco"si esto tiene arreglo, Ná, la vieja te va a ayudar.

Así como en tarde lluviosa se rasgan las nubes y brilla el sol, así las pestañas de Cabil empezaron a parpadear y tras ellas sus ojos aún húmedos por las lágrimas, se llenaron de luz.

—Mañana es noche de luna; la vieja Ná decidió que habrá para ti Kay Nicté cuando empiece la noche, ve a buscarme.

Y como si eso fuera todo lo que necesitara decir, dejó la choza y se perdió entre las sombras primeras de la tarde.

Cabil ya no lloró ni bordó; como si estuviera bajo los efectos de un narcótico sintió que su pena disminuía hasta convertirse en pequeña, que ya no sentía. Una como dulzura extraña embargó su ser; era como si la voz enérgica de Ná tuviera la magia de provocar sueños.

Cabil ya no era la amada sin esperanzas y embargada de una felicidad insospechada, esperó el otro día.

Veintiséis horas son muchas horas para una muchacha enamorada. Por eso a Cabil se le hicieron terriblemente largas...

Pero como en esta vida, el tiempo es agua que corre camino de la eternidad, el final de las veintiséis horas para una muchacha enamorada en espera, llegó.

Para ese preciso instante Dulce se había vestido de blanco, adornándose profusamente el cabello con blancas flores perfumadas; y cuando llegó a la alejada choza de la vieja Ná, ya estaban esperándola las cinco doncellas que la acompañarían.

Cuando la luna lucía en el inmenso cielo como bendito pan de harina de maíz, la vieja Ná seguida de Dulce y las cinco doncellas dejaron el pueblo, tomando camino del bosque.

La noche era fresca y el aire tan perfumado que semejaba fresco de esencias finas. El camino, el campo y el bosque estaban tan llenos de luz que podía pensarse que ése era el principio del reino misterioso de los espíritus del bosque.

Larga, muy larga fue la caminata que hicieron para llegar al "chaltún", depósito de agua en la roca, que Nán había escogido para el maravilloso rito del Kay Nicté.

Cuando por fin sus rostros de jóvenes mujeres se inclinaron sobre el agua, prorrumpieron en grandes gritos de alegría.

La luna inmensa, blanca, flotaba sobre el agua azul del chaltún, con la gracia de un inmaculado loto.

Y allí, junto al chaltún misterioso, se situaron las componentes del rito de Kay Nicté, mediante el cual Ná procuraría atraer hacia Cabil al amante esquivo e infiel.

Dulce, por fin, fue colocada en el centro de las jóvenes danzantes, porque había llegado la hora en que la vieja Ná, iniciada en el rito, levantara las manos a la luna implorando misericordia para Dulce.

Y la voz con tonalidades sacerdotales se elevó sobre el agua, sobre el aire, sobre las nubes.

—Oh flor de la noche, estrella del cielo, muchacha bonita de cara pálida, vengo a decirte que solamente por el tiempo loco y por el loco corazón de Ceelem, fue que entró en la joven Cabil la tristeza que fue el principio de su dolor. Porque es doncella, la abandonan, se le martirizó, infeliz la pobrecita, no protesta por el sabor que la amarga, que la destruye como tigre, como gato montés. Pero llegará el día en que lleguen hasta tu cielo las lágrimas de sus ojos, y bajo de él, de un golpe, la justicia.

La vieja Ná, transfigurada, las manos en elevación al cielo, clamando a la luna, era así como una sagrada sacerdotisa arrancada de las pinturas murales de los templos perdidos en la selva.

Y mientras ella elevaba su voz a la Flor de la Noche, las doncellas murmurando un canto melodioso se movían con gracia, con majestad, con ritmo, danzando un canto de la enamorada que con la luz lunar, respirando fuerte, parecía esperar un beso de amor.

Y la voz de la vieja Ná fue elevando su diapasón, en tanto que las jóvenes danzantes cambiaban su Ritmo apacible y suave en apasionado y suplicante, creando una danza bella, frenética y sensual que acabaría por conmover a la diosa luna, protectora de los amores.

La vieja Ná pareció tomar resuello, después prosiguió:

—"Señora de la blanca cara, esposa del rey gran verdadero Señor —Sol— que habitan la casa grande —el cielo— dile a Ceelem que tiene que regresar sumiso como manso animal doméstico a Cabil, a esa doncella de hinchado y roto corazón cuya estera y tules en flor le esperan.

"Y también te pido, Oh flor de la Noche, permitas invoque a Bolon Mayel, el santo polvo invisible, señor que todo lo fecunda, así la flor como el cáliz abierto de la enamorada."

Ná, iniciada, después de ver por unos segundos en silencio a la luna, bajó las manos y las tendió implorantes al corazón del campo al aire, a la inmensidad.

—"Oh Bolon Mayel, Santo polvo invisible, haz dulce su boca y la punta de su lengua. Dulce, haz sus besos. Y bajarán los cuatro Gigantes que en ánforas de barro traerán las mieles de las flores. De ellas saldrán: la del hondo cáliz rojo, la del hondo cáliz negro, la del hondo cáliz amarillo, la del hondo cáliz blanco. Al mismo tiempo saldrá la flor que será regada y la que será agujerada, y la flor ondulada del cacao y la que nunca es chupada, y la flor del espíritu del color, y la que siempre es flor.

"Oh Bolon Mayel, permite que Ceelem cual Pizlimtec, el de los huesos verdes a quien el eterno lo transformó en colibrí, chupe la miel de esta flor, hasta lo más adentro de ella, y tome por esposa a la flor. Y cuando se abra el cáliz de esta flor, el sol estará adentro, y cuando Ceelem vuelva a su lado, ella dará ánforas blancas y pavos azules para que le ame toda luna, todo año, todo día, todo viento."

La ceremonia había terminado.

Allá en lo alto, la señora Luna, señora de todos los amores nocturnos, parecía sonreír dichosa, ¡el conjuro de Kay Nicté jamás fallaba! El conjuro de la vieja Ná, ¡jamás fallaba!

Y así fue. Ceelem, el perverso enamorado que se burlara de la sincera ofrenda que le hiciera Cabil de su tierno corazón, por meses y meses, no pudo borrar de su mente el recuerdo de la doncella que él, despreciativo se alejara de su lado, deseando nunca jámas volverla a ver.

Y meses después, con la ayuda mágica de la vieja Ná, el sortilegio hechizante había sido efectivo, ya que Ceelem volvió a buscar, arrependido, a la entristecida niña para casarse con ella.

¡La Kay Nicté nunca fallaba!

Los engañadores

MAYA

Desde que el hombre existe surgió la idea de lo bueno y lo malo.

En su rudimentario cerebro se incrustó el convencimiento de la sombra y la luz, forjando la idea de que el reino del bien, estaba en el cielo y que el reino del mal, estaba en las profundidades de la tierra.

Han pasado los siglos y ese concepto de la luz y la sombra aún existe, encontrándose en todas las religiones: el cielo y el infierno.

En el Popol Vuh, el libro sagrado de los Mayas Quiché, se habla del cielo y el infierno. Este último conocido como Xibalbá, que era un lugar subterráneo y profundo, habitado por búhos, hombres perversos, enemigos de la humanidad.

De aquel tiempo y de aquellos hombres es esta leyenda.

Ante los habitantes de Xibalbá un día se presentaron dos pobres de rostro avejentado y miserable aspecto, vestidos de harapos. Así fueron vistos por los de Xibalbá.

Y poco era lo que hacían. Sólo se ocupaban en bailar la danza del Puhuy —lechuza—, la de la Cux —comadreja— y la del Iboy —armadillo.

Además, obraban prodigios. Quemaban las casas como si en verdad ardieran y al punto las volvían a su estado original. Muchos de los de Xibalbá los contemplaban asombrados. Después se despedazaban a sí mismos, se mataban uno al otro; tendíase como muerto el primero, y al instante lo resucitaba el otro.

Llegaron en seguida esas noticias a oídos de Hun-Camé y de Vucub-Camé, los señores de la mansión infernal. Y enviaron a sus mensajeros a que los llamaran, con halagos.

—¿No estáis viendo que no somos sino unos pobres bailarines? —dijeron ellos, disculpándose para no acudir a presencia de los señores—. ¿Qué les diremos a nuestros compañeros de pobreza que han venido con nosotros y desean ver nuestros bailes y divertirse con ellos? ¿Por ventura podríamos hacer lo mismo con los señores? Así, no queremos ir, mensajeros —dijeron Hunahpú e Ixbalanqué.

Llegaron al fin (tras de que los mensajeros recurrieron a pegarles para que marchasen) ante los señores, con aire encogido e inclinando la frente; llegaron haciendo reverencias, prosternándose, humillándose. Se les veía extenuados, andrajosos, y su aspecto era lastimoso, en verdad, cuando llegaron.

—¿De dónde venís?— les preguntaron.

—No lo sabemos, señor. No conocemos la cara de nuestra madre ni la de nuestro padre; éramos pequeños cuando murieron— respondieron.

—No os aflijáis, no tengáis miedo —les fue dicho— ¡Bailad! Haced primero la parte en que os matáis; quemad nuestra casa, haced todo lo que sabéis. Y os daremos recompensa, pobre gente —les dijeron.

Entonces principiaron sus cantos y bailes. Les dijo el señor:

—Despedazad a mi perro y que sea resucitado por vosotros.

Y eso hicieron y, aunque estaban todos juntos los señores dentro de la casa, no se quemaron.

—Matad ahora un hombre, sacrificadlo, y que vuelva a la vida.

Así lo hicieron, y el hombre no murió, pues que ellos le dieron nueva vida.

—Sacrificaos ahora a vosotros mismos, que lo veamos nosotros!

—Muy bien —contestaron—. Y a continuación se sacrificaron. Hunahpú fue sacrificado por Ixbalanqué. Uno por uno fueron cercenados sus brazos y piernas, separada su cabeza y llevada a distancia; su corazón arrancado del pecho y lanzado sobre la hierba. Los de Xibalbá estaban fascinados.

Y Hunahpú volvió a la vida, al conjuro de Ixbalanqué.

—¡Haced lo mismo con nosotros! ¡Sacrificadnos!— dijeron los señores.

Y he aquí que primero sacrificaron al que era jefe y señor, Hun-Camé rey de Xibalbá. Y muerto Hun-Camé, se apoderaron de Vucub-Camé y lo mataron. Y no los resucitaron...

Y un señor se humilló entonces, presentándose ante los bailarines.

¡Tened piedad de mí!, —dijo cuando se dio a conocer.

Huyeron todos los hijos y vasallos de Xibalbá a un gran barranco, y se metieron todos en un hondo precipicio.

Allí estaban amontonados cuando llegaron innumerables hormigas, que los descubrieron y desalojaron del barranco. De esa manera los sacaron al camino, y cuando llegaron (ante los héroes) se prosternaron y se entregaron todos, se humillaron y llegaron afligidos.

Maquech

(eres hombre)

MAYA

Yucatán ofrece al turista una joya viva, cuya fama ha recorrido el mundo.

Maquech le llaman, y es un pequeño insecto, que apenas mide cinco centímetros, el que vive oculto en los troncos de los árboles de las selvas de esas tierras.

Tal vez ese insecto fuera feliz, allá en su verde paraíso, si no existiera la crueldad del hombre quien lo captura e inmisericorde, cubre sus alas con piedras de colores brillantes, cuentas e hilos de oro y lo esclaviza colocándole fina cadena a una de sus endebles patitas, sujetando el otro extremo a un alfiler con usos de prendedor.

Así enjoyado el pobre insecto es vendido en altos precios, según el valor de sus adornos; pero esa pequeña joya viva muere pronto, no así la leyenda, una de las más hermosas de la tierra del "venado y el faisán", que nos relata el origen de tan bárbara costumbre.

Allá en el Valle del Usumacinta se escondía la ciudad sagrada de Yachilán, la de los grandes edificios, la de las fachadas lisas o decoradas con nichos, la de las grandes cresterías ahuecadas y de las bellas esculturas: ciudad que había traspuesto la cumbre de sus excelencias estéticas.

Allí en Yaxchilán tenía fama de hermosa la joven princesa llamada Cuzán —golondrina— porque su cabello, según decía la gente, semejaba el ala de esa ave. Ella era hija del Ahnú Dtundtuncaán —gran señor que se sumerge en el cielo—, quien todas las mañanas se ejercitaba en el lanzamiento del hulché —palo arrojadizo.

Su padre, además de gobernante era un valiente guerrero, que cuando iba en pos de conquistas, Cuzán, acompañada de varios Ppencatoob —esclavos—, iba al templo del Gran Dios Noh Ku ante quien quemaba en ofrenda, corazones modelados de copal, pidiendo a la divinidad le amparara.

Cuzán era feliz, muy feliz, máxime que su pderoso padre la rodeaba de cariños y lujos, por ser la más consentida de todos sus hijos y por lo mismo que la amaba entrañablemente, lo más bello de los botines de guerra eran depositados en sus pies.

Así llegó a la edad juvenil, en que el señor de Yaxchilán le anunció que por razones de Estado se había concertado su boda con un miembro de la nobleza, un Menehoob, hijo del Halach Uinic —Hombre Verdadero— de la gran ciudad de Nan Chan —casa de las serpientes Palenque—, que según su progenitor, el príncipe Ek Chapat —ciempiés negro— además de magnífico guerrero era futuro señor de tan poderoso reino.

Pero sucedió un día, que el rey de Yachilán regresaba victorioso de la guerra, llenando de alegría a la ciudad, cuyas valiosas ofrendas fueron llevadas al Templo de los Nueve Dioses del Mundo Inferior; y como siempre, antes de ver a su hija, le envió parte del rico botín, por lo que la joven, entusiasmada por tanta riqueza, se dirigió en busca de su padre para agradecerle tan bello presente, hallándole en la gran Sala de Palacio, sentado en su espléndido trono, cuyo respaldo era un hermoso mascarón, a quien acompañaban dos señores de pie a ambos lados, y un tercero estaba sentado debajo de él, joven y gallardo quien se llamaba Chalpol —Cabeza Roja, porque su cabello era de encendido color—, el que presentaba al monarca ocho prisioneros, que estaban en cuclillas, con los brazos atados con una cuerda atrás de su espalda.

La mirada de Chalpol y la de Cuzán fue de llama, por lo que la joven, toda cohibida se alejó de la Sala del Trono. Pero desde ese instante, Cuzán ya no tuvo reposo, su corazón latía apresurado y su mirada se hizo más brillante: el nombre de Chalpol surgía a cada momento con rumores de agua de río, y fue un despertar de tierra fecunda, un florecer de campo, una embriaguez de ensueño.

Cuando ambos se encontraban por casualidad en los patios de palacio, él la miraba ardientemente y ella suspiraba, y mientras el joven guerrero estaba cerca del Halach Uinic, Cuzán se prendía flores en el pecho y soñadora, miraba agonizar el día.

Mas llegó el tiempo en que ambos se encontraron bajo la Ceiba, Dios tutelar de su pueblo, y entonces los sueños dormidos se desbocaron, y un torrente de palabras brotó de sus corazones, y juntando sus labios juraron no olvidarse jamás, y pusieron por testigo a ese árbol, el más alto de todos, el que desde su copa abarcaba las infinitas lontananzas, quien por ser el más alto, estaba más cerca de los dioses que gustaban de sentarse en su copa y escuchar las rogativas de los mortales.

Desde ese instante su amor fue secreto, amor de sombra, ternura y mimo; y entre más días pasaban sentían sus vidas atadas por el indestructible lazo del amor.

Nunca en su vida fueron más dichosos Chalpol y Cuzán, por lo que bajo el cielo estrellado buscaban la senda oculta del bosque cercano y reunidos bajo el sagrado árbol, cada vez florecía más y más el amor deseoso y sumiso, por lo que todas las noches de sus encuentros furtivos, se escuchaba bajo el cobijo de la Ceiba, el juramento de nunca separarse. Pero un día, cruel día, el señor de Yachilán fue informado que su casta hija palpitaba de amor en los brazos del joven Chalpol, cuando todos en la ciudad sagrada de las bellas esculturas estaban enterados que la princesa era la prometida del príncipe Chapot, hijo del poderoso Señor de Nan Chan; por lo que ordenó al instante que el amante de su hija fuera sacrificado.

Cuando fue informada Cuzán del bárbaro castigo, de rodillas a los pies de su padre lloró y suplicó, para que a su amado le fuera perdonada la vida; ¡pero todo en vano!

Desoyendo los sollozos angustiados de la hija tan querida, señaló, inflexible, día y hora para que se llevara a cabo el sacrificio y cuando el tiempo marcó el momento final, Chalpol, el joven guerrero fue despojado de su traje, y ya desnudo, le pintaron el cuerpo de azul, le pusieron el tocado puntiagudo en la cabeza, y así, ante los ojos desorbitados de Cuzán, le condujeron al atrio del templo de Noh Ku —el Gran Dios. No tardó en principiar la ceremonia de expulsión de los espíritus malignos, para luego pintar de azul el altar de los sacrificios y quemar abundante copal.

Toda la Corte estaba allí, y entre ella la pobre enamorada que vertía abundantes lágrimas al ver a su amado expuesto al pueblo. ¡Era tan joven, tan fuerte y su mirar era tan dulce y ella lo amaba tanto, que toda transida de dolor volvió a pedir a su padre no le sacrificara, prometiendo que si había clemencia para el dueño de su corazón, jamás le volvería a ver y obediente aceptaría ser la esposa del príncipe de Nan Chan.

El Hombre Verdadero después de mucho pensarlo y consultar a los sacerdotes, con su aprobación, consintió en ello, no sin antes ordenar a la hija se recluyera en sus habitaciones con la consigna de que si salía de ellas, al instante volvería a ordenar el sacrificio de Chalpol. La bella princesa en la soledad de su alcoba, con llanto sin ecos, pedía a todos sus dioses salvaran al ser amado, y con dulzura casta y en grito desolado, sintió que su mente naufragaba en la ruta oscura del arcano. ¿Qué fue lo que después sucedió?

Cuando en silencio se doblegaba al dolor, un esclavo le llevó la orden del Halch Uinic, para que sin dilación se presentara ante él, y al oír el mandato, el núbil cuerpo de Cuzán sintió frío, un temblor le sacudió y en la boca paladeó el acre sabor del miedo.

Cuando llegó hasta el patio del templo, sus pupilas nubladas por las lágrimas, buscaron ansiosamente a Chalpol; pero no estaba allí. ¿Lo habrían sacrificado ya? Por lo que sin poderse contener, con un grito que salía de lo más profundo de su ser inquirió:

Padre, ¿dónde está?

El Gran Señor sonrió satisfecho; pero ella no tuvo contestación. La niña, incipiente mujer, lloraba con desconsuelo y sin comprender nada, miró acercarse al hechicero que le ofrecía un escarabajo.

Cuzán miró el insecto; pero su mente estaba tan ofuscada que no se daba cuenta de nada; pero el hombre a quien los dioses le habían dado el don de los poderes misteriosos, le dijo:

—Aquí tienes, princesa Cuzán, a tu amado Chalpol. Tu padre, el rey mi señor, le concedió la vida ante tus desesperados ruegos; pero para castigar la osadía de amarte, me ordenó lo convirtiera en un insecto.

La inconsolable princesa, sollozando desgarradoramente lo tomó entre sus manos y regresó a su alcoba. Allí con emoción lo acercó a su cara y empapada su faz por las lágrimas le murmuró:

—Juré no separarme nunca de ti, y yo sabré cumplir mi juramento —y los ojitos del escarabajo parecieron iluminarse.

Después, Cuzán, la princesa enamorada, mandó traer al joyero de la Corte, a quien pidió le cubriera de piedras preciosas y asegurara una de sus patitas con una fina cadena de oro, sujeta en su extremo a un alfiler.

Cuando el joyero le llevara el escarabajo ricamente enjoyado, ella con ternura le prendió a su pecho y acariciando su cabeza con suavidad de pétalo, le dijo con dulzura:

—Maquech "eres hombre", y como hombre la luz de la mañana hiera tus pupilas para que puedas mirar mi pena, y la sombra de la noche te sorprenda dormido en mi regazo.

—Maquech, los dioses tuvieron piedad de nuestro amor, porque pegado a la tersura de mi carne, oirás, alborozado, el atropellado correr de mi sangre y el latido apresurado de mi ardiente corazón, pudiendo escuchar mi voz, firme, pronunciando el juramento y la promesa de nunca olvidarte.

—Maquech "eres hombre" —y gran dicha es que vivas sobre mi pecho, y que mires mi dolor de amante, que es dolor de todo tiempo.

—Maquech, te amo, te amo con amor verdadero y profundo y no hay en el cielo de los dioses, ni en la tierra de los hombres, llama tan viva y tan exaltada como la que quema el alma mía.

Así, él insecto, ella mujer, por voluntad de los dioses, siguieron unidos, amándose, y aún seguirán amándose a través de los siglos.

El príncipe Kuk

MAYA-QUICHÉ

Había una vez en el reino de Tzutuha —agua o fuente florida— una princesa tan perfectamente hermosa que su padre el señor Exbalán —tigre negro— al nacer le había llamado Mactzil —milagrosa, maravillosa.

Mactzil poseía oro y chalchihuites, cuentas de ámbar y turquesas, esclavas y mantas finas, extensos maizales, casa y jardínes, cacao y pellones de pluma.

Y como si no fuera tanta riqueza, aquella princesa además poseía campos floridos y lagos quietos, olorosos huertos y pajareras con las más raras aves de color y trino ¡Mactzil era feliz, muy feliz!.

Mas un día, llegó hasta la sala principal de palacio del señor Exbalán, un joven Macatecatl —el señor del cordel, músico— el que lucía hermosa diadema y collar de oro, y quien portaba un cordel cuyas dos puntas colgaban sobre el pecho y la espalda, formando un trenzado de dos colores. El joven Mecatecatl llevaba, además, en la mano, su Ayotapalcatl —concha de tortuga—, porque él era un delicado trovador que había estudiado en el Mecatlán —lugar de los músicos.

Aquel joven había recorrido muchos reinos llevando sus cantos y sus poesías que hablaban de flores hermosas y pájaros misteriosos, de grandes batallas e inconcebibles amores, idilios místicos y castigos crueles, ¡El era trovador nacido para cantar y siempre soñar!.

Opichén —aromado pozo— se llamaba aquel esbelto como aguerrido joven, quien en momentos de descanso llegó a contarle a la bella Mactzil, que en sus largas correrías de trovador, había llegado hasta el palacio de una princesa maya, preciosa niña que por lo pálido de su rostro y lo blanco de su piel le llamaban Ixchel —luna.

Mactzil, intrigada, pidió más noticias de su rival en belleza, preguntando curiosa, si tenía muchas joyas, y usaba esencias aromadas para su cutis, si sus ojos eran negros como la noche, si su cabello era largo y sedoso y si sus jardines lucían tan hermosos como los suyos.

Opichén satisfizo su curiosidad de princesa mimada, acabando por hablarle del tesoro que aquella niña poseía, consistente en un hermoso Kuk —quetzal—, el que tomaba sus alimentos en la mano de la princesa y que siempre iba posado en el hombro de su dueña.

—¿Un quetzal? —asombrada exclamó la princesa de Tzutuha. Yo sé, porque lo he oído repetir a los Enauinos Chic —sabios, magos o adivinos— que esa ave es sagrada, y nunca acepta el cautiverio, pues muere de tristeza al verse separada de sus hermosos bosques. ¿Cómo es posible tal cosa?

—Yo he visto con estos ojos que se han de convertir en polvo, el quetzal de la princesa Ixchel.

Mactzil ya no tuvo reposo. Por noches y días se le vio melancólica y silenciosa, y fueron vanos todos los esfuerzos del señor Exbalán para devolverle la alegría.

Una noche, noche de tormenta, Mactzil decidió ir a los lejanos bosques más allá de Tzutuha en busca de un bello quetzal.

Por días y semanas caminó en dirección de las ciudades mayas hasta llegar al corazón de los bosques sagrados de Chiapas en busca de los Xulús, esos diablillos que habitaban en los ríos y curaban con el agua todo mal de amores.

Así, Mactzil llegó al reino de Yum Kax —señor de los bosques— quien al verla tan hermosa y tan niña accedió a guiarla por los ocultos senderos hasta el misteriso rincón donde habitaban los xulús.

Cuando ambos llegaron hasta donde el agua brotaba, Yum Kax se despidió de ella deseándole tuviera suerte.

Mactzil caminó y caminó hasta llegar al milagroso río, en donde alborozada se deprendió de su ropa, sumergiéndose en el agua esperando llegaran sus habitantes.

Mas sucedió que el bosque estaba habitado por los pájaros verdes, los sagrados Kuk, y el príncipe de ellos que había sorprendido la presencia de la niña en su reino, enamorado de su belleza, oculto desde la espesura de las sagradas ceibas, contempló cómo Mactzil se sumergía en el agua misteriosa de los Xulús.

¡Cuán hermosa era, cuán niña! por lo que se sorprendió de la presencia de la escultural doncella, dejando las altas ramas, se posó sobre el hombro desnudo de la joven.

La princesa, sorprendida de la belleza y esplendor del pájaro de la cauda verde, asustada le pidió se alejara de su lado, ya que necesitaba cubrirse, por lo que el quetzal, después de besarle los labios, huyó al corazón del bosque.

Mactzil, durante muchos días recorrió la espesura, llamando con palabras cariñosas al ausente, y cuando desfallecía de pena y sus ojos estaban enrojecidos por tanto llanto, allá, donde la sombra era más espesa, surgió ante ella un gallardo joven luciendo penachos verdes y collares de jade.

Mactzil, sorprendida se detuvo ¿Quién era ese desconocido?

Mas el joven que adivinó su pensamiento le dijo:

—Yo soy el que tú buscas. Soy el príncipe de los quetzales, quien te besó en el río ¡Este es mi reino y ya te esperaba!

Y días después el príncipe de los quetzales y la princesa Mactzil se casaron, quienes vivieron felices en el bosque.

Un día la princesa sintió nostalgia por su anciano padre, por lo que día a día pidiera a su esposo que regresaran al lado del señor Exbalán, acabando el príncipe por acceder a su ruego.

Cuando llegaron a Tzutuha fueron recibidos con grandes festejos. El príncipe era hermoso y su gallardía subyugó a los súbditos del padre de la princesa.

Pero una noche, Mactzil tuvo un sueño, un doloroso sueño. Soñó que los habitantes del bosque iban en busca de su señor, y que éste, volviendo a su forma primitiva, alzaba el vuelo, dirigiéndose a la espesura de su reino, de donde jamás regresaría.

Asustada la princesa decidió consultar a los adivinos, quienes le aconsejaron le tuviera cautivo, por lo que el principe Kuk no tardó en ser vigilado en todo instante, y hasta en la hora de sus sueños era espiado.

Un día, cuando paseaba por los jardines del palacio de su esposa, le salieron al encuentro varios quetzales convertidos en humanos, quienes le pidieron volviera a su forma bellísima y volviera a agitar sus alas bajo la caricia del sol, y olvidándose del amor de la princesa, volviera a su reino.

El príncipe, que amaba mucho a su esposa, temió que si se alejaba de ella, su dolor no tendría límites; mas la angustia de sus súbditos le conmovía, quienes en ruego repetían:

—Señor, ¿qué te detiene aquí? El amor de los humanos es traidor y falso. Vuelve a tu reino antes de que sea tarde.

El príncipe Kuk, convencido de que ése no era su reino, decidió quedarse solamente esa noche para besar por última vez los labios de su esposa, prometiendo que apenas se dibujara en el cielo el esplendor del alba, emprendería el vuelo, y los quetzales, convencidos de la seriedad de su soberano, aceptaron esperarle.

El príncipe volvió al lado de su esposa, y por horas y horas la contempló dormida, dejando fluir toda la ternura que encerraba su corazón, y cuando la noche llegara y las sombras se hicieran más espesas en la estancia real, mágicamente adquirió su forma de pájaro quetzal, quien acercándose a la preciosa Mactzil, besó delicadamente sus labios.

La princesa al sentir la caricia, despertó, y al ver al quetzal a su lado, dio de gritos, ordenando cerraran todas las puertas de palacio, evitando que el príncipe pudiera huir, pues cien manos lo aprisionaron y le cortaron las alas.

Cuando a los pies de la princesa Mactzil fue depositado el quetzal sin alas, el príncipe Kuk reaccionó intentando volar; pero sus esfuerzos fueron inútiles.

Convencido de que jamás volvería a su reino de esmeralda donde sus súbditos, libres y felices le esperarían inútilmente, sintió terrible dolor y desesperada angustia le rompió el corazón.

Es por eso que desde entonces, el píncipe de las aves, el sagrado Kuk, el hermoso quetzal, muere en cautiverio, ya que los dioses dispusieron que el ave de las guías verdes solamente debe de vivir en lo más profundo de la selva.

Sac Nicté

(blanca flor)

MAYA

La Iliada, célebre poema épico y obra inmortal de Homero, escrita en el siglo IX A. de C., nos relata cómo el príncipe troyano Paris, hijo de Priamo, había raptado a Helena, bellísima mujer, esposa de Melenao, rey de Esparta. Suceso que llenó de indignación a toda Grecia, quien sintiéndose ofendida por tan ruin ultraje, declaró la guerra a Troya: guerra que duró diez años y en la que murieron miles de guerreros, hasta que Troya fue vencida.

La Historia maya también nos cuenta un hecho parecido.

Allá por el año 1194 existía una bellísima reina maya llamada Sac Nicté, esposa del poderoso señor de Itzmal, la que fue raptada por el Señor de Chichén Itzá, ocasionando con ello la guerra, que encabezó el Señor de Mayapán, Hunac Ceel, para vengar tal ultraje.

¡Y Chichén Itzá fue vencida!

En Tierras del Mayab —Tierra de escogidos— existió un hermoso reino llamado Mayapán —el Pendón de los Mayas.

Allí reinaba el Ah-Huinic —rey— Hunac Ceel que tenía una hermosa hija llamada Sac Nicté —Flor Blanca.

La niña era tan hermosa que los habitantes del Mayab decían que su piel tenía la suavidad del xzulá —lirio—, que su risa era igual al murmullo de la ha —agua; su tez tenía la palidez de la bella U—luna, perla— y su voz era arrulladora como el arrullo de la mucuy —paloma—; además, decían que toda ella exhalaba el perfume de una x laul —rosa perfumada—, y su cabello y sus ojos tenían el tinte oscuro robado a Akal Puccikal —corazón de la Noche.

Y llegó el día que la niña creció, convirtiéndose en una bellísima mujer; por lo que su padre, el valeroso Señor Hunac Ceel —El que es más que todos, hermoso y joven—, Señor de Mayapán prometió en matrimonio a su hija al Señor Ah Ulil, Señor de Itzamal —la Ciudad donde baja el rocío del cielo.

Pero tan linda niña amaba profundamente al Señor de Chichén Itzá —Pozo de los itzáes— el señor Chac Xib Chac —el gigante hombre rojo—, desde que una vez le vio llegar al palacio de su padre, y al encontrarse casualmente, ambos se amaron.

El tiempo transcurrió y llegó el día en que el príncipe de Chichén Itzá recibiera a los mensajeros de Mayapán, quienes después de ofrecerle los valiosos regalos enviados por el Señor Hunac Ceel, le dijeron:

"Nuestro Señor Hunac Ceel convida a su amigo y aliado a la fiesta de la boda de su hija que será gloria de Mayab —Pueblo de Escogidos."

Y el príncipe escondiendo su dolor exclamó:

—Decid a vuestro señor, que estaré presente.

Después llegaron los mensajeros de Itzamal y le dijeron:

—Nuestro Señor Ulil, príncipe de Itzamal, pide a la grandeza del Señor de los itzáes que vaya a sentarse a la comida de sus bodas con la princesa Sac Nicté y sea allí su aliado, en su casa y en su poder.

Y el Señor de Chichén Itzá, sintiendo que su corazón dejaba de latir, contestó:

—Decid a vuestro Señor, que me verá ese día.

Pero Sac Nicté y Chac Xib Chac, a través de la distancia, sufrían intensamente

El día de la boda se acercaba.

Fue por eso que a la ciudad sagrada de Itzamal llegaron las comitivas de los señores invitados.

De Xibalbá —lugar profundo— llegó un gran séquito cargado con ricas esteras y recipientes llenos de joyas.

De Copán —lugar de culebras— vinieron los Siete Señores, transportados en andas, conduciendo abundantes jaulas de oro llenas de pájaros de bellísimos colores y exquisitos cantos.

De Xicalanco —donde se cosechan jícaras—, región costera del Golfo —Tabasco, Chiapas— llegaban hermosas jícaras llenas de perlas, corales, turquesas y jades, y abundante copal —incienso— cacahuatl —cacao— y vainilla para aromarlo. De Acanceh —lamento de ciervo— fueron traídos venados blancos con los cuernos y las pezuñas forrados de oro.

Desde Xelahuh —lugar de quetzales— llegó un cargamento con las plumas más hermosas de los pájaros verdes, delicado huun —papel— semilla de bija —achiote.

Los señores de Quiché —bosque— llegaron cargados de pieles de jaguar en capas y sandalias, telas finamente labradas y maderas olorosas.

Y cerrando la llegada de las comitivas, llegó de Uxmal un joven guerrero conduciendo el libro de los horóscopos, que estaba cubierto su estuche de hermosas piedras preciosas.

De todas partes llegaron los invitados, menos de Chichén Itzá.

La boda fue solemne, y el banquete suntuoso

A la cabecera de la mesa baja y redonda, cubierta de fino mantel, estaban los esposos sentados en banquitos, sobre los que se habían colocado mullidos cojines, y en torno de la mesa los invitados más distinguidos. Aves asadas, bebidas de coco, legumbres, carnes, pescados, y por doquier diseminados los hermosos lec —calabazos donde se ponen las tortillas— llenos de calientitas y finas uah —tortillas. Pero los lec, esa vez, eran verdaderas joyas, pues estaban forrados de filigranas de oro y los cestos habían sido tejidos finamente con las hojas de palmera en donde fueron colocados mameyes, aguacates, papayas, anonas, guayabas y nanches.

Pero más que comer se bebía abundantemente balché —bebida hecha con la semilla del árbol del mismo nombre— servido por hermosas jóvenes y mancebos.

Los coros suaves y delicados casi no eran escuchados por nadie; así como nadie observaba las comedias y farsas de los Chic Kabán —actores— ni las danzas de los bailarines.

Sac Nicté, entristecida, contemplaba cómo desde el rey hasta el último invitado estaban borrachos, y aun así, todos seguían bebiendo.

Fue hasta muy tarde, cuando sorprendió junto a ella a un misterioso como silencioso invitado, que la contemplaba casi con devoción.

Nicté no pudo reconocer ese extraño ser, que vestía todo de negro y su rostro ocultaba tras una máscara, acabando por creer que era tan sólo uno de los Chic Kabán, que cansado, se había atrevido a sentarse junto de ella

De pronto, de allá de la base de la pirámide en cuyo templo aún ardía el incienso de la boda, se escuchó un grito:

—¡Itzalán! ¡Itzalán!

Y aún no se borraba en la inmensidad el eco de ese grito, cuando hizo su aparición en la sala del banquete de bodas Chac Xib Chac, seguido de un grupo de guerreros, dirigiéndose apresuradamente el señor de Chichén Itzá hasta donde se hallaba la desposada, a quien tomó entre sus fuertes brazos, huyendo con ella.

Cuando los invitados intentaron levantarse para ir tras el raptor, sus torpes movimientos les hicieron caer grotescamente.

Después poco a poco fue quedando vacía y silenciosa la estancia; solo allí, en medio de ella, estaba el señor de Itzamal, sin poder comprender lo que había sucedido, y quien al intentar levantarse de su asiento, se tambaleaba sobre sus inseguras piernas.

Mucho tardó en reaccionar, y lleno de cólera y odio empezó a llamar a gritos a sus servidores y guerreros sin armas; porque ¿quién iba a llevar armas en día tan señalado?

Y los caracoles y los címbalos sonaron por todo Itzamal.

Pero por los largos caminos que partían de la ciudad donde bajaba el rocío del cielo, caminos que estaban ese día desiertos, Sac Nicté y Chac Xib Chac, unidos en sincero amor, iban camino de Chichén Itzá, ¡camino de la felicidad!

Ya en la Ciudad de las Mil Columnas, ambos desgranaron su amor.

Atrás habían quedado todos los recuerdos amargos y las lágrimas derramadas por una joven enamorada.

Una nueva vida, deliciosa y llena de amor había surgido de sus desdichas.

Sac Nicté era feliz, muy feliz.

Pero un día...

En el aposento real de muros de turquesa, nácar, jade, ónix y tapicería de pluma, Sac Nicté, tendida sobre finas esteras, oía emocionada las palabras de amor del Halach Uinic Chac Xib Chac, señor de Chichén Itzá.

Sac Nicté era bella entre las bellas. Su cuerpo, una escultura modelada en fino barro, ese día dormía plácidamente sobre las mullidas pieles.

Chac Xib Chac la amaba tanto que hacía tiempo no iba a los Templos de las Serpientes Emplumadas, ni paseaba por el Patio de las Mil Columnas en donde los Ahcuh-Cabool —Concejales— sentados en sus tronos, velaban por la justicia.

Pero era para que el Señor de Chichén Itzá, más que los secretos del Templo de los Guerreros; más que las noticias de los Batabool —jefe de los pueblos y aldeas—; más que los Nacones —supremos jefes militares—; más que todas las citas con el Ahuacán —Señor Serpiente—, gran sacerdote; más que todo eso, estaba el placer de adorar a la bienamada.

Para ella eran todas sus horas y todas sus riquezas. Para él que era el Señor Supremo de Chichén Itzá, no había más placer ni más deber, que estar siempre al lado de Sac Nicté.

Apenas hacía pocas horas que había depositado, a los pies de la joven princesa todo un tesoro, acabado de traer como botín de guerra.

Allí estaban las rich patus —telas entrejidas de plumas—, las xanab —sandalias de oro y piedras preciosas—, los kub ricamente bordados en xochilcui —vestidos bordados en puntos de cruz—, las amplias fic —enaguas interiores—, blancas, bordadas en la parte inferior, y mil sortijas de oro repujado, collares de filigrana, pendientes, estatuas de jade, vasos policromados, esteras bordadas, aromas de incienso y flor, cascabeles, pectorales de mosaico de turquesa, ajorcas de izlá suli, pieles de jaguar, sartas de corales y joyería de esmeraldas, granates, turquesas y amatistas traídas de más allá de Xicalanco —faja de costa en el Golfo de México.

La señora de Itzamal le sonrió agradecida al mirar el rico tesoro depositado a sus pies. La amaba tanto el Señor de Chichén Itzá, que ya no quería acordarse de Zamaná —un solo dios—, ni del templo sagrado de Kab-ul —mano labrada— que ella tanto veneraba antes. En gratitud a ese amor tan grande vivido en la Ciudad Sagrada de los Cenotes, ella amaba a otras deidades.

Sac Nicté era feliz en los brazos de Chac Xib Chac. Los dos se amaban tan intensamente que olvidados del mundo, sólo vivían para su amor.

El Señor de la Ciudad de los Templos de las Serpientes Emplumadas, ese día arrojó gran cantidad de copal en los braseros de oro, para después abismarse en las pupilas oscuras de la señora de Itzamal; y cuando más enamorado acercaba su rostro, al rostro de suavidades de pétalo, una sombra negra y quieta les alarmó, al situarse frente a ellos.

¿Quién era aquel que se atrevía a desobedecer al poderoso Señor de Chichén Itzá?

El había dado orden que nadie interrumpiera, por ningún motivo, por grave que fuera el asunto, la belleza de su idilio, porque el intruso pagaría tal atrevimiento con su vida.

El Halach Uinic se levantó altanero. Las cuentas de oro y jade de su Exbraga —de largas puntas— y sus collares y brazaletes, entrechocaron produciendo un tintineo de metal.

Cegado por la ira se acercó al intruso: mas al descubrir al que había llegado, aquel de las guías del largo penacho de plumas, se inmovilizó, en tanto que el patí —manta— de pluma y pedrería se agitaba sobre su pecho.

Sac Nicté, que también le había visto, dio un grito de espanto y toda asustada, rodeó con sus brazos las piernas enjoyadas del Señor de Chichén Itzá. Frente a ellos estaba el misterioso visitante con los atavíos del Ah Puch —Dios de la Muerte— y un escalofrío de terror los estremecía.

Ah Puch, con los párpados apenas entreabiertos les miraba. Tenía el cuerpo hinchado, la piel con manchas negras y circulares; en los cabellos, cascabeles de oro; los antebrazos y piernas ceñidas por fajas y en el cuello golilla de cascabeles.

—¿Quién eres?— increptó nerviosamente al hombre del atavío real. ¿Por qué hasta mi alcoba llegas, cuando todos saben que he penado con la muerte el delito de llegar hasta aquí?

—Vengo de muy lejos —dijo el hombre de los cascabeles y mirada apagada.

—Vengo de mi poderoso reino, allí donde no hay luz, y las flores de mis jardines son negras, muy negras.

—¿Quién eres? ¿Acaso un farsante enemigo que quiere asustarme con tal indumentaria? ¡Quítate esa máscara, o con mis propias manos te la arrancaré! —dijo el Halach Uinic de Chichén Itzá, con cólera en la voz.

—No intentes tocarme, porque soy el Señor más poderoso del Mundo, aquel ante el cual se rinden desde los más poderosos hombres, hasta el más humilde de los hombres.

Un escalofrío de angustia embargó a los amantes. Pero Chac Xib Chac sobreponiéndose al terror, aseguró altanero:

—Dudo que haya otro Señor más poderoso que yo. Y sigo pensando que esto es sólo una broma poco agradable de alguno de mis enemigos, que puede pagar con la vida.

—¿Has dicho con la vida?

—¡Eso he dicho! Y estoy resuelto a mandar a mis servidores te la quiten.

Una carcajada, hueca, sonora, se dejó escuchar.

Al Señor de Chichén Itzá le tembló un poco la mano; pero sin dejarse dominar por el miedo exclamó:

—¿Qué es lo que quieres, intruso? —la voz era cruel e imperiosa.

—Vine porque tú me invitaste, fue en Itzamal el día de la boda. ¿Recuerdas?

—¡Mientes! Ese día yo no estuve allí.

¿Tan pronto lo has olvidado? De eso hace poco. Yo sí estuve en esa fiesta. Yo estaba entre sombras.

El Halach Uinic se agitaba en silencio, y el intruso prosiguió.

—Llegué sin que nadie me notara. Yo no estaba invitado a la boda iba todo de negro y me enjoyaba con adornos de azabache. Ese día era de fiesta en la sagrada Itzamal. El Halach Uinic Ah Ulil se casaba con la hermosa princesa de Mayapán. Yo que también sé amar, quise conocer a la hermosa, y para ello dejé mi glacial señorío y mi yerno lecho, para dirigirme a la ciudad de los esponsales.

Llegué el mismo día de las nupcias. Visité las estancias reales, besé a las esclavas e introduje en la habitación de la desposada, que arreglaba su tocado.

—¡Oh! —exclamó asustada Sac Nicté.

Pero el visitante de negro y máscara prosiguió:

—¡Qué bella es!— dije en voz alta al verla que destrenzaba su hermoso cabello que peinaban las esclavas, pero nadie me oyó. Acerqué mi rostro al suyo y no me vio, aunque la desposada estremeciéndose aseguró que tenía frío. Por lo que las esclavas que la rodeaban, al instante la abrigaron y encendieron los braserillos.

Estaba tan linda la joven, que enamorado le dije al oído:

—Te ofrezco mi reino en que tu belleza sería eterna.

Ella sin escucharme seguía destrenzando su cabello, mirándose en el espejo de plata con incrustaciones de perlas y piedras preciosas, que una linda esclava, como luna recién nacida, sostenía entre sus manos. Por un momento quedé absorto contemplándola; pero luego volví a acercarme a ella y decirle al oído:

—He venido por ti para ceñirte con la diadema imperial de mi amor, mas ella, por segunda vez, no quiso contestar.

Entonces, furioso le grité:

—Serás mía...¿lo oyes? ¡Sólo mía a pesar de tu negativa!

Luego llegué tarde al banquete. El Halach Uinic Ah Ulil y todos los invitados estaban briagos. En silencio tomé asiento junto al Señor de Itzamal y nadie me vio.

Ah Puch guardó silencio, mirando fijamente a la bella Sac Nicté que lloraba desconsolada, con la cabeza inclinada hacia el suelo y de rodillas a los pies de su amado señor.

El señor de Chichén Itzá, inmóvil y sobrecogido de temor, no apartaba sus ojos de aquel rostro de muerte, que cobarde, ocultaba tras esa máscara, el misterioso intruso.

La voz cavernosa de Ah Puch otra vez se dejó oír:

—Cuando miraba absorto a la desposada y creí que tan bella doncella consentía en ser mi esposa, pues sorprendí su dulce mirada fija en mí, llegaste tú, la tomaste entre tus brazos y huiste con ella.

--¿Y ahora intentas quitármela?— gritó enfurecido el señor de Chichén Itzá.

Ah Puch movió negativamente la cabeza, agitando sus cascabeles.

—¡Cuán equivocado estás!— aseguró—. Ella, toda juventud y hermosura, no me ama. Estoy convencido que lo que ella busca en tus brazos es el placer de la vida...¡Cosa que yo no puedo darle!

—Entonces ¿qué es lo que quieres?

—Sólo vengo a traerte el mensaje del Señor de Mayapán, del poderoso Hunac Ceel.

—¿Qué quiere? No puede quitármela, porque Sac Nicté, me ama, ¿lo oyes? Ella me ama sobre todas las cosas.

El Dios de la Muerte miró con compasión a la reina, que lloraba.

—¡Cuán bella es!— exclamó —Tiene los ojos como sombras, tiene el cabello como sombras.

Chac Xib Chac se estremeció, más que la mirada del intruso le hería el apagado sollozo de la mujer amada; por lo que con dulzura posó su mano enjoyada sobre la cabeza de la reina.

—Ya no llores Sac Nicté— le dijo el hombre de los párpados hinchados, al contemplar a los dos amantes, más unidos en el dolor que en el amor—. Seca tus lágrimas y sonríe, como sonreías antes de que yo llegara. Sonríe a la vida, al amor, al amado, que no vengo por ti, y que tienes tiempo suficiente para ser feliz, muy feliz.

Luego, dirigiéndose a Chac Xib Chac, comenzó con voz pausada su mensaje:

—Es a ti, Oh Gran Halach Uinic de Cichén Itzá, poderoso señor de la Ciudad más bella de las tierras de Ma-ay-ha (tierra sin agua) a quien te traigo un mensaje que es de luto y destrucción. "Vendrá día en que Hunac Ceel, gobernante de Mayapán, llamado en su auxilio tropas extranjeras cobrará la deuda de honor de Ah Ulil, señor de Itzamal. Todo tu imperio caerá bajo mi poder. Huirán de aquí los itzáes camino del sur, y llegarán hasta un lago en donde fundarán otra ciudad, la que llamarán Taitzá."

Cuando hubo terminado, en la alcoba real se hizo más profundo el silencio. Mas poco después Chac Xib Chac recuperó su dominio y altanería de gran señor:

—Ahora que te he oído, me pregunto sin explicármelo, por qué mi puñal no he clavado en tu corazón?. ¡Traidor, sé valiente y quítate esa máscara bajo la cual escondes tu asqueroso rostro! ¡Sé valiente! ¡Quiero conocerte, antes de que mis soldados te den muerte! ¡Obedece, te lo manda tu Señor!

Una carcajada tenebrosa se dejó escuchar como única respuesta.

Chac Xib Chac quiso avalanzarse sobre quien así se burlaba de él; pero los brazos temblorosos de la reina sujetaron sus piernas, impidiéndole moverse. Y como si manos siniestras hubieran arrojado sobre los braserillos gran cantidad de incienso, una nube espesa y negra todo lo cubrió, desapareciendo tras ella la siniestra figura del dios, que repetía:

—Insensato, arrodíllate ante tu dios. ¡Yo soy Ah Puch el invencible, el poderoso, el inmortal!

Y tras ese día, el tiempo corrió con la misma fluidez con que corre el agua del río que va al mar.

Cada día Sac Nicté estaba más enamorada del Halach Uinic de Chichén Itzá.

Cada día se sentía más feliz.

El recuerdo de la fiesta nupcial en que fuera raptada, no había constituido más que un acontecimeiento tan vago, que casi se había desvanecido en su memoria; así como el recuerdo de la presencia de Ah Puch en su palacio de Chichén Itzá pronto se desvaneció, atribuyendo tal suceso a la broma de mal gusto de algún enemigo de su señor.

Su vida, por tanto, de señora de la Ciudad del Cenote Sagrado y del Templo de las Mil Columnas, y esposa muy amada del gran guerrero y poderoso Señor Chac Xib Chac, momento a momento le proporcionaba grandes satisfacciones y alegrías.

Mas para desgracia de los enamorados, una mañana llegó hasta la sala del trono, un guerrero portador de malas noticias.

—El Señor de Mayapán, Hunac Ceel, considerando que el rapto de la bella Sac Nicté, unida al Señor Ah Ulil en presencia de los dioses, por los sacerdotes y raptada la misma noche del enlace, cuando aún no se apagaban los cantos ni las antorchas del festín, constituyendo tal acto una ofensa de honor hecha a su aliado, el poderoso Señor de Itzamal, por lo que decidió vengar tal afrenta, llamando en su auxilio a las tropas mercenarias de Xicalanca (Tabasco-Laguna de Términos).

—¿Y trata de atacar mi ciudad?— preguntó al guerrero el Señor de Chichén Itzá, sin ocultar su sorpresa.

—Señor, yo los he visto dirigirse hacia aquí, con el deseo de destruir la Ciudad Sagrada de los Cenotes. Siete comandantes vienen a las órdenes de Hunac Ceel.

—¿Quiénes son?

—Ah Zinteyuit, Tzontecomatl, Taxcatl, Pantemitl, Xochihuehue, Izcóatl y Cacaltécatl.

Al oír tal cosa, la angustia más grande invadió a Sac Nicté; por lo que desde ese momento lloró mucho e imploró más a sus dioses.

¡La destrucción y la muerte esperaban a la ciudad de los bellos Templos! ¿Qué se podía esperar? ¡Nada! Las tropas mercenarias eran más poderosas y superiores a las de Chichén Itzá.

La noche anterior a la gran batalla, Chac Xib Chac, en compañía de Sac Nicté, se dirigió al Templo de los Guerreros, y cuando ambos iban a reverenciar a sus dioses, en un ángulo del templo, oculto en la sombra, descubrieron a Ah Puch que les esperaba.

Un estremecimiento de pavor sacudió a Sac Nicté, quien cerrando los párpados, toda asustada, estrujó sus manos.

En cambio Chac Xib Chac, indiferente, se dirigió a los incensarios, quemando serenamente su ofrenda de incienso.

Cuando Sac Nicté, sobreponiéndose a su terror, iba a imitar a su amado, el Dios de la Muerte, se acercó a ella sin ruidos, tendiéndole una bolsa de pon pintado de azul.

La princesa de Mayapán en muda interrogancia miró el rostro del intruso, y al descubrir las oquedades vacías de sus ojos, tomó sumisa la resina y con manos temblorosas la depositó sobre brasas encendidas.

Chac Xib Chac invocaba la protección de sus dioses, cuando escuchó el estruendo de la batalla, por lo que alarmado tomó de la mano a la esposa de Ah Ulil tratando de huir aunque inútilmente, ya que el dios Ah Puc se lo impidió obstruyendo la puerta del templo, por donde segundos después hacía su entrada Hunac Ceel seguido de los siete guerreros.

Al quedar el Señor de Mayapán frente a su odiado enemigo se avalanzó hacia él con su puñal en alto, por lo que el guerrero Chac Xib Chac trató de defenderse, pero al instante fue vencido.

Tras el manto negro de Ah Puc, Sac Nicté, invisible, sufriendo horriblemente había contemplado la derrota de su amado y cuando vio que se lo llevaban prisionero camino de Mayapán, con voz sollozante imploraba piedad a su padre para el Señor de Chichén Itzá, y al ver que no le miraba ni le escuchaba, desesperada, trató de ir tras el amado a quien llamaba a gritos, sólo que ni su padre Hunac Ceel ni Chac Xib Chac le escuchaban.

Cuando el templo hubo quedado vacío, desesperada la princesa, se arrojó a los pies de sus dioses que parecían dormidos, implorando piedad para el vencido, y cuando hubo terminado de sus súplicas, enloquecida de dolor intentó seguir tras el prisionero; pero Ah Puc que no se había separado de su lado, se lo impidió.

Sac Nicté, espantada, rehuyó la presencia del Dios de la Muerte; pero el Señor que poseía inmensos jardines de flores negras se acercó a ella colocando sus manos frías sobre la cabeza de la infortunada mujer.

La angustia de Sac Nicté al instante cesó, embargando a su semblante una paz resignada que le hizo sonreír.

Y ya sin miedos ni rebeldías, la joven enamorada del Señor de Chichén Itzá, resuelta se acercó al dios Ah Puc, quien amoroso la cobijó con su manto negro, y uno junto al otro, pausadamente, serenamente se dirigieron al Reino de los Cascabeles y las flores negras.

Xtucumbí-Xumán

(señora escondida)

MAYA

De allá de donde es el verde de la selva de jade, y el cielo zafiro; de allá donde los mayas forjaron sus templos y sus palacios, es esta hermosa leyenda de la Señora Escondida: Xtucumbí-Xumán.

La señora Luum Cab —tierra— tenía una hija bellísima llamada Ha —agua. Madre e hija eran inseparables y siempre paseaban su alegría y su belleza por los paisajes de roca y ceiba.

La madre amaba entrañablemente a su hija, y toda su felicidad era estar a su lado.

Mas un día en que el chacdzibzín —cardenal— y la dulce Nicté-Há —loto— se besaban, la doncella, cuando la madre aún dormía, se fue camino de la selva.

El quetzal y el dzunuún —colibrí— a su paso, agitaron las hojas de las ceibas, y Ha, asombrada de tanto verdor, quedó inmóvil en medio de la exuberante vegetación.

Ha con su vestido cristalino y sus flores prendidas al cabello, sonreía satisfecha, caminando despacio.

Un suspiro como murmullo de mar brotó de la espesura, y la joven, asustada, quiso huir; en la selva no estaba sola, tal vez genios ocultos la espiaban e intentaron aprisionarla, por lo que trató de volver al lado de su madre, cuando le salió a su paso el ser más hermoso hasta entonces no conocido.

Era ágil, de color de Kaacah —tierra— los ojos negros como noche oscura y su cabello tenía el color de la sombra.

La doncella le miró embelesada, para luego preguntar curiosa:

—¿Quién eres que hasta ahora no te había visto?

—Soy el señor Uinic—hombre—, dueño de este paraíso. Todo lo que aquí hay me pertenece: la selva, la montaña, el mar y el río.

—¿Acaso eres dios?

—Uinic es dios.

Ha la bella se acercó a él, y con sus delicadas manos tocó aquel cuerpo terso como pétalo y suave como musgo. Mas de pronto, sin podérselo explicar, se alejó del lado de Uinic, para después perderse tras la maleza.

Uinic sintió deseos de aprisionar a aquella desconocida que tenía unos ojos luminosos y brillantes, y sin mucho pensarlo corrió tras ella, sin poderla encontrar.

Pasaron los días, y una mañana, cuando el sol era más resplandeciente, y las gotas de rocío aún no se evaporaban, Uinic, que desde una colina espiaba el paisaje ansioso de volver a ver a su amada, a lo lejos la descubrió, dormida entre flores, por lo que pleno de amor, bajó presuroso la colina llegando al lado de la hechicera.

Un grito de asombro se escapó del pecho de la joven, al ver junto a ella al bello ser del bosque.

Uinic habló:

-¿Por qué te asustas amada mía? Yo seré tu amante esclavo. A tus pies deposito mi fuerza y mi poderío. Mi amor es tan grande que estoy convencido que jamás podré olvidarte.

Ha le miró con ternura, y la mano fuerte tomó delicadamente las suyas. Sus manos, entre las fuertes de él, semejaban dos palomas temblorosas y fue después de unos minutos en que latieron descompasadamente los corazones, que la joven, abriendo sus pálidos labios dijo:

—No fue necesario buscarnos ni conocernos por mucho tiempo; bastó una mirada, un suspiro y un instante, para fundir nuestras almas y ofrecernos el amor eterno. Yo también te amo, a pesar de que eres un desconocido. Yo también te amo sin saber quién eres ni de dónde vienes.

—Yo me llamo Uinic [hombre], y tú?

—Soy Ha, la doncella hija de Luum [tierra].

Desde ese instante preciso los amantes se buscaron. Se amaron en lo profundo de la selva, al pie de las montañas, junto a los campos en flor.

Pero Luum Cab, hija de dioses, no tardó en descubrir el secreto de su hija. Luum Cab, tenía un gran miedo a Uinic, a quien consideraba malo y capaz de todo. Por eso quiso apartar a su hija de él. Primero le habló tiernamente tratando de convencerla de lo engañoso que era el hombre; pero la joven no quiso oír a su madre, sino al contrario, lo defendía valientemente, asegurando que no podía anidar en el corazón de ser tan bello ninguna maldad; él era bueno, muy bueno y noble, sabía decir palabras bellas y suspiraba de amor bajo la luz de las estrellas. Y la Madre Tierra, desconsolada la escuchaba.

Y mientras Luum Cab día a día reprendía a su hija, y mientras la joven lloraba su desconsuelo, el galán seguía ofreciendo a su amada sus más dulces canciones y sus más sentidas endechas de amor.

Una mañana decidió la madre castigar a la desobediente hija, que a pesar de sus ruegos y amenazas decía sentirse más enamorada del hombre, sin importarle la angustia de su madre, quien resuelta, una noche, mientras la doncella dormía, ordenó a sus súbditos, los chac —genios del agua— trasladarán a la desobediente hasta el fondo de una cueva.

Luum Cab al instante fue obedecida, y cuando Ha la bella despertó, se encontró en un abismo sin luz.

Por días y días sus sollozos fueron desgarradores, aunque nadie los podía escuchar. Allí no había sol ni estrellas, sólo rocas inmensas y estalactitas que parecían campanitas sonoras cuando sus angustiadas manos las palpaban.

Luum Cab estaba satisfecha. Bien había escondido a su hija en aquel sitio donde su adorador jamás la encontraría. Allí la hija de la Tierra estaría a salvo de aquel sacrílego amor, y siempre viviría virgen, como era su deseo.

Pasaron los años y Uinic seguía buscando inútilmente a su amada.

En tanto la Madre Tierra, ansiosa por halagar a su hija, le regaló siete hermosos vestidos: uno se llamó Chaka— y era de agua roja; otro se llamaba Pucuelhá, que era como reflujo, asegurando los chac que tenía olas como el mar, que se agitaba con el viento del sur y crecía con el viento al noroeste, siendo tan sutil, que para podérselo admirar a la doncella, luciéndolo había que acercarse en silencio, porque al menor ruido desaparecía.

También tenía un manto llamado Sallab —salto de agua—, otro vestido: Akahba —oscuridad— porque era de ese color.

También la madre le había mandado construir un recipiente para su baño, llamado Chocohá —agua caliente— y un vestido llamado Ocihá —color de leche— además de un albergue rumoroso llamado Chimaishá en que las alas de los insectos llamados chimais parecían vibrar.

Pero a pesar de la riqueza y confort con que había rodeado Luum Cab a su hija, ésta no dejaba de llorar día y noche.

Uinic, no menos triste, buscaba afanosamente, momento a momento, a su amada. Subía a las montañas, descendía a los valles, hurgaba los huecos de las peñas, recorría los bosques, y bajo el sol y bajo las estrellas la llamaba a gritos, y sus dolorosos lamentos eran absorbidos por el silencio.

Un día, en que el sol era más cálido, Uinic, desconsolado, vencido por el cansancio, se tendió sobre unas rocas. ¿Qué le importaba la vida? Siendo el rey de toda la creación se sentía el más desdichado, por lo que se puso a llorar.

Ha, aun en lo profundo del precipicio, escuchó los sollozos de su amado, y como si sintiera alegría por el dolor de Uinic, se puso a cantar dulcemente.

El hombre escuchó aquel canto de amor; buscó en su torno, pero estaba solo y cuando creyó era nada más una alucinación, volvió a captar aquel canto que era como un rumor lejano que parecía salir del fondo de la tierra.

Uinic se puso de pie: no cabía duda, era la voz de Ha que cantaba allá en lo profundo de las rocas su dolor y su ternura.

Caminó hacia el macizo de rocas, descubriendo una boca abierta entre las duras peñas.

Uinic al borde, escuchó atentamente y lleno de alegría oyó el llanto de la novia eterna. ¡Y nada más agreste y hermoso que ese abismo sin luz!

El hombre llamó a gritos a Ha, y la amada respondió. Los ojos de lince de Uinic saetearon la profundidad descubriendo el brillo cristalino del manto de la amada, que se agitaba en suaves ondas.

Uinic quiso bajar en su busca, pero parecía imposible llegar a ella. Desesperado, destrozó sus manos queriendo aferrarse a la roca, buscando apoyo para bajar; pero todo inútil, su vida se exponía en el vano intento; la bella en tanto, seguía llorando en las profundidades.

Rendido, presa de inmenso dolor y desesperado, resuelve bajar hasta la amada. El era el ser superior, él era más poderoso que Luum Cab, por lo que, nuevo titán, arrancó del bosque cercano los altos y gruesos árboles e hizo con ellos una escalera sobre el precipicio.

Cuando acabó su trabajo penetró resuelto por la boca de la cueva, bajando por el estrecho y pendiente sendero, en tanto que poco a poco se iba perdiendo la luz.

Uinic se encontraba sobre el precipicio, rodeado de asesinas rocas; la oscuridad era espesa, por lo que encendió una antorcha y ¡oh belleza!, las estalactitas brillaban fantásticamente reflejando la luz de las teas! Uinic, con el corazón latiéndole apresuradamente bajó a la profundidad para poder besar a la amada.

Y cuando llegaba al fondo del precipicio, la linda Ha le tendió los brazos y Uinic, pleno de felicidad, estrechándola contra su pecho le murmuró Xtucumbí-Xumán —Señora Escondida— Xtucumbí-Xumán.

Esta es la leyenda de los amores del hombre y del agua, amores perseguidos por la madre Tierra.

¡Qué hermosa es! ¡Qué simbólica imagen del hombre que se enamora del agua, y que la madre, para que no le robaran a su hija la oculta en un abismo sin luz! ¿Y qué significación tiene?

Una muy hermosa.

Uinic el hombre, baja a las profundidades a despertar de su sueño al agua que le ha sido escondida por Luum Cab —la tierra—, celosa madre. Y para ello, nuevo titán, arranca de los bosques los árboles y hace una escala que tiende sobre el precipicio, y amante y fuerte y poderoso, baja a arrebatar a la amada del fondo de la cárcel del oscuro cenote.

La rebelde

MAYA

Ella se llamaba Cuzán —golondrina—, y era una muchacha alegre a pesar de su orfandad.

Vivía a las afueras de la bella ciudad de Etzná, que por su condición de yalba uinicoob —gente común— le correspondía.

Su padre adoptivo no era más que un humilde labrador de las sementeras del halach yunic —señor—, quien no pocas veces iba de caza o pesca, o en pos de sal, no sin antes contar con el consentimiento del señor de Etzná.

En ese tiempo en que su padre se alejaba de la choza, Cuzán se olvidaba del telar y de los quehaceres domésticos, llegando hasta olvidarse de si el fuego ardía en el kobin —hogar de tres piedras—, para ir a recorrer el mercado o atisbar el edificio principal en cuya cima había "un salón con dos departamentos laterales en donde se guardaba la historia de las trece ciudades, aunque Quirigua y Etzná eran las ciudades de más gran importancia por sus esculpidos de belleza superlativa, llegando a ocupar un lugar destacado juntamente con Palenque, Cobá, Yaxchilán, Piedras Negras y otras''.

Cuando la luna llena iluminaba la ciudad, constituía para Cuzán una fascinación contemplar sobre el palacio del alto Señor la imponente crestería construida sobre los cinco pisos, la belleza de los pilares cuadrangulares del primer piso y las columnas barrigonas del cuarto, todo bañado bajo una luz tenue de polvo de luna.

Ella amaba entrañablemente las bellezas de la ciudad. Casi nunca estaba en el interior de su pobre choza, tan alejada de los templos y los palacios; es por eso que no pocas veces subía por la escalinata central del palacio del gran señor, llena de figuras policromadas, que le hacían latir apresuradamente su joven corazón.

No pocas veces sentada cerca del pozo de agua dulce que abastecía a la ciudad, embelesada contemplaba las hermosas estelas cuyas imágenes en bajo relieve, referían las hazañas de los guerreros de Etzná, cuyos personajes vencidos por ellos, hallábanse tendidos en tierra con gestos y actitudes de lamentación y misericordia, sobre los cuales se apreciaban las férreas extremidades inferiores, y los calzados pies de sus vencedores.

Pero sobre todo, gustaba de ir al Templo Superior y observar las ofrendas en el adoratorio de la plaza, así como al pie de la escalinata la cerámica y los jades dejados a los pies de la escultura de los dioses.

Y sucedió que un día el Halach Uinic Ahí Pakán, quien camino de su palacio pasara cerca de donde Cuzán, absorta, miraba el lejano bosque, tan gran señor se detuvo a contemplar a tan extraña soñadora, sentada cerca del cenote, impresionándole la belleza de aquella niña, adivinando bajo el blanco kuk, el incipiente pecho que indicaba que la flor aún no era despetalada, por lo que al instante deseó obtener para sí ese hermoso botón, ordenando a sus servidores la llevaran a su palacio.

La orden no se hizo esperar, y poco después, la bella Cuzán era conducida a la más alejada sala del palacio del poderoso señor y príncipe.

Ni un grito salió de los labios de la niña, en rebeldía; sólo sus pupilas negras se dilataban de odio.

Era Cuzán tan niña, que comprendió tan gran señor que había que esperar pacientemente a que se convirtiera en mujer para tomarla como una de sus esposas.

Cuzán vivía rodeada de lujos y atenciones, y de aquella noche habían pasado varios meses, cuando desde su encierro, vigilada siempre por las viejas sus cuidadoras, desde una arcada del palacio presenció la llegada del ejército vencedor, comandado por el príncipe Ahí Pakán.

Llegaban los guerreros sudorosos, cansados, empuñando el hulche (palo arrojadizo) y tras ellos la larga cadena de los vencidos, todos con las manos amarradas a la espalda.

Pensativo lo miró todo, y su núbil corazón latió apresuradamente por lo que se les esperaba a esos valientes: la esclavitud.

No era ésa la primera vez que presenciaba la llegada del vencedor: arribaban los guerreros pintados de negro y rojo, y los prisioneros de negro con rayas blancas.

Mas esa vez, su corazón se encogió de temor al notar entre los vencidos a un joven príncipe que aún lucía lo regio de su vestimenta, y Cuzán casi lloraba al verle las manos amarradas a la espalda como prisionero de guerra reducido a la esclavitud.

Esa noche, cuando su señor la condujo hasta donde estaba el rico botín de guerra, no solicitó ninguna joya ni ninguna tela; nada le importaban las ricas cosas quitadas a los vencidos. Indiferente, miró hacinados los ricos ex —bragas— delicadamente bordados con puntas de pluma, los pati —mantas— con pedrería, las xamab —sandalias excesivamente trabajadas, los recipientes de perfumes, hierbas aromáticas, kub —vestidos— delicadamente bordados al estilo xóchitl chin —hijos que están contados— pies de jaguar, plumas de quetzal, vistosos penachos, collares, gargantillas, pulseras, ajorcas, rodilleras de oro incrustadas de gemas, aretes, anillos para los oídos, de jade, obsidiana, concha, madera.

Cuzán lo veía todo sin pedir nada, sorprendido el Halach Uinic por ese silencio y esa indiferencia, tomó entre sus manos el espléndido pectoral repujado de oro, tan magistralmente trabajado que lucía en su centro una de las más bellas aves, símbolo del amor, un colibrí, que al tiempo que se lo colocaba al cuello le decía:

—Esto te gustará. Es el pectoral del príncipe vencido.

Cuzán, al sentir sobre su cuello el roce de la cadena, se estremeció. ¿Acaso estaba hechizada esa joya? Lo cierto es que ella desde ese instante amó profundamente al vencido.

¿Cómo llegó a saber la pasión silenciosa que sentía la elegida de su corazón por el vencido príncipe Tixkochoh? ¿Quién se lo dijo?

Mas fue tanto su odio contra la frágil muñeca que pensó castigarla, destruirla.

En sus noches de insomnio su mente se atormentaba urdiendo crueldades dignas de la pérfida mujer; mas una larga noche de tormento llegó a idear la venganza perfecta que lo elevaría a los ojos de su pueblo y de los señores de los otros pueblos; la ofrecería a los dioses en sacrificio.

Así llegó la periódica peregrinación que hacían los pueblos hermanos que daban ofrenda viva y virgen al poderoso dios Chac, que habitaba en las profundidades del Cenote Sagrado de Chichén Itzá, porque no tardó Cuzán en ser llevada en andas ricamente ataviada, yendo a su lado las doncellas enfloradas, que entonaban alegres cantos, pues la elegida por los sacerdotes que era muy joven y muy bella, tenía que llegar al lado del dios llena de felicidad, ya que se rendiría pleitesía después de consultar el oráculo.

Así, después de varios días de camino, llegaron a la ciudad sagrada, donde se destacaba el templo de las Mil Columnas.

A los ahkin —sacerdotes del sol— les sorprendió que la escogida para esposa del dios llegaba silenciosa, indiferente; pero ellos no sabían que Cuzán sólo pensaba en el hermoso príncipe hecho esclavo, y que ante la idea de que el déspota Ahi Pakán descargaría toda su ira sobre el indefenso príncipe, casi le hacía llorar.

Así, indiferente a todo, presenció las ceremonias religiosas, y el júbilo del pueblo.

Mas ella, desprendida totalmente de la idea de vida, marchó sin prisas, con paso seguro, al lado de las otras bellas jóvenes adornadas con valiosos collares y adornos de oro, que llevarían al dios Chac.

Sin temor presenció cómo iban siendo arrojadas una por una a las profundas aguas sagradas; mas cuando los sacerdotes la condujeron hasta el borde del Cenote Sagrado, sin escuchar el murmullo de los cánticos y las oraciones, por última vez pensó en el principe vencido que allá en Etzná, cruelmente tratado como vil esclavo, jamás sabría que el haberle amado en silencio le costaba la vida.

Y sus recuerdos se desmenuzaron al escuchar la voz enérgica del Ahkín —sacerdote— que le pedía:

—"Hermosa doncella, cuando llegues a la presencia del dios Chac, nuestro señor dios de la lluvia, dios benéfico, amigo constante del hombre, dios asociado a la creación y la vida, jamás enemigo, jamás aliado con las potencias de la destrucción y la muerte, sino señor del dios Chac, rojo dios del este, del Chac blanco, dios del norte, el Chac negro dios del oeste y el Chac amarillo dios del sur, les contarás que somos muy devotos, muy buenos, que tratamos muy bien a la gente. Además te ordenamos le pidas que nos mande la lluvia y riquezas."

La joven Cuzán escuchaba muy callada todas las recomendaciones, y cuando los sacerdotes terminaron de hablar, mirándolos furiosa y elevando su voz y hasta llegar a la histeria gritó:

—"No les contaré a los dioses ninguna de vuestras recomendaciones; les diré que ustedes son unos déspotas, explotadores y les pediré que les mande la sequia y la pobreza."

Los sacerdotes y nobles que presenciaban los sacrificios, asustados, quedaron anonadados y estupefactos. ¡Nadie se había revelado así! Unos a otros se miraron en interrogación y como si se hubieran puesto de acuerdo, resolvieron no sacrificar a esa doncella.

Y poco después, la linda Cuzán, dando la espalda a los allí reunidos se alejaba del Cenote Sagrado y llena de amor y felicidad, tomaba camino de Etzná.

La hazaña del pájaro carpintero

MAYA

Para aquellos hombres, sólo había un adversario más temido y más terrible que el propio hombre: la naturaleza.

La tierra en que iba a construir su ciudad, era una región pobre, sin recursos naturales; pero ellos que habían sido educados con disciplina de hierro, exenta de individualismo, siendo ley, callar, respetar y obedecer, reglas que nunca debían de olvidarse: respetar a los mayores, respetar a los superiores, respetar a su jefe, respetar a los sacerdotes y respetar a sus dioses sin protestar.

No hacía mucho y no lejos de allí, los sacerdotes habían ordenado hacer una pausa en su fatigoso peregrinar y obedientes acamparon en aquella tierra cubierta de pantanos y llena de vegetación silvestre tropical. Allí sólo existía la "selva de la lluvia", donde los árboles alcanzaban alturas de cuarenta y cinco metros.

Allí había caobas, cedros, palmeras y chicozapotes; además árboles de pan, de goma, y ceibas, muchas ceibas que les proporcionaba el grano kapok; además había vainilla y muchas plantas más.

Los animales eran abundantes: jaguares, tapires, jabalíes, monos, insectos, pájaros, loros de bellas plumas y sobre todo el hermoso quetzal.

Mas no fue larga la pausa, ya que sus guiadores ordenaron se prosiguiera la marcha, deteniéndose más adelante y en donde inexplicablemente se seleccionó un cuadrilátero en una región de clima seco, donde la vegetación lujurienta se había convertido en matojos, y donde el agua era escasa, sólo existente en depósitos subterráneos.

Y esos hombres educados a obedecer, sin protestar allí se detuvieron, teniendo necesidad de arrancar a la selva la tierra que se cultivaría, con sólo la ayuda del fuego e instrumentos de piedra.

En región tan hostil el pueblo sufrió privaciones y con ello llegó la moderación, inculcándoles sus sacerdotes que no se debía de matar dos ciervos, si sólo se necesitaba uno para aplacar su hambre, y aun teniendo necesidad de hacerlo, el cazador pedía perdón a los dioses, empezando por decirle: "Otzilén —soy pobre no tengo qué comer, por eso lo hago."

Si desbrozaban la tierra que luego sembrarían, en oración pedían a los dioses perdón por turbar la belleza y armonía de la creación. Y ese pueblo era feliz, porque se le había enseñado que la verdadera felicidad consistía en conformarse con lo que los dioses proporcionaban, por lo que no existía la acumulación de riquezas ni la crueldad.

Fue por eso que los dioses, satisfechos de la moral de sus hijos decidieran ofrecerles un don divino, conmovidos por sus carencias. Ellos sabían que ese don divino se hallaba almacenado en una enorme montaña.

Las primeras en descubrirlo habían sido las hormigas guerreras, las que habían excavado una galería, ocupándose en sacarlo, cargando grano a grano, sobre sus espaldas.

Mas sucedió que el zorro, que por naturaleza es curioso de cuanto hace el vecino, un día observó cómo transportaban las hormigas aquellos desconocidos granos y quiso saber qué cosa eran.

Por indiscreción del zorro, la noticia corrió como reguero de pólvora entre todos los animales, llegando así a oídos de los hombres. Sólo que había un gran inconveniente: ¿cómo llegar al almacén subterráneo? Eso sólo podían hacerlo las hormigas.

Los hombres, convencidos de que era inútil querer arrancarle a la roca su secreto, decidieron pedir ayuda a los dioses de la lluvia, y sus oraciones fueron oídas por tres de ellos, los que al instante trataron de horadar la roca con sus flechas; pero todo fue en vano.

Fue entonces que los tres dioses, comprendiendo que nada podían hacer para obtener el grano divino, resolvieron ir hasta donde se hallaba su jefe, el más viejo de los dioses de la lluvia, a quien convencieron para que interviniera en la obtención de ese misterioso elemento que tanto ansiaban los hombres.

El anciano dios, accediendo a lo pedido, llamó al pájaro carpintero a quien dijo:

—"Golpea la roca con tu pico para averiguar cuál es el punto más débil."

El pájaro así lo hizo, y cuando en la roca halló la zona más vulnerable, corrió a refugiarse bajo un abrigo de la montaña.

Entonces el viejo dios envió con toda su fuerza el más poderoso de sus rayos sobre el punto de la roca, y ésta al instante se partió, y las piedras volaron en todas direcciones a causa de la violenta explosión.

Al espantoso ruido producido por la explosión, el pájaro carpintero asomó su cabeza incapaz de resistir la curiosidad, y fue entonces que un fragmento de roca le golpeó en la cabeza, haciéndole una herida de la cual la sangre corrió.

Y es por eso, que el pájaro carpintero luce desde entonces una mancha roja en la cabeza.

Y sucedió que el rayo enviado por el viejo dios de la lluvia, produjo un calor tan intenso, que los granos descubiertos así, que eran totalmente blancos todos, se quemaron muchos parcialmente haciendo que en una sola mazorca, por causa del fuego, muchos granos se tostaran, otros se ennegrecieran por el humo y otros su blancura se convirtiera en amarillenta.

Por eso, desde aquel tiempo hasta nuestros tiempos, hay cuatro variedades de maíz: negro, rojo, amarillo y blanco.

Y fue así como los dioses de la lluvia, dieron a sus devotos, el don maravilloso del "centli".

Nicté-Há
(flor de loto)

MAYA

Del más allá de la Historia, del más allá de la cuenta de los años; cuando en la Tierra sucedían encantamientos y milagros, de aquel entonces surge la hermosa leyenda de la Tierra del Mayab: "Nicté-Há".

Su delicado perfume de flor fabulosa y sagrada del Mito remoto, persistirá por siempre; porque la Leyenda, la Tradición y el Mito, son el alma de los pueblos.

Allá, donde la selva se hacía más espesa y traicionera, existía un reino cuyo príncipe se llamaba Chacdziedzib que quiere decir: Vibración Roja (pájaro cardenal), el cual estaba locamente enamorado de Nicté-Há —Flor de Agua (Loto)—, que era una hermosa doncella hija del guardián del Cenote Sagrado.

Chacdziedzib era gallardo, era valiente y las flechas de su arco nunca fallaban; y sus ojos eran tan maravillosos que en la lejanía descubrían los insectos más pequeños.

Chacdziedzib el príncipe, era muy venerado por todos sus súbditos, quienes lo consideraban hijo de los dioses.

El príncipe, todos los amaneceres, cuando la aurora aún no estallaba en juegos de luz, a la orilla del cenote iba en busca de su amada, en donde ambos desgranaban la trama delicada de su diario idilio.

Chacdiziedzib, que era poeta y gustaba de llevar túnica roja, no había amanecer que no desgranara al oído de su bella amada lindas endechas:

"Florecita —le decía— florecita delicada
más blanca que el alba
más fina que la nube
cuya mano de caricia
tiene suavidades de pétalo.
Nicté-Há florecita delicada
más bella que el cielo,
más tímida que la paloma.
¿Acaso tu corazón no es mío?
¿Acaso tu amor no es mi tesoro?
Nicté-Há, amada mía
los dioses nos bendigan."

Pero los sacerdotes, azuzados por el gran sacerdote desaprobaron esos amores.

¡Tan noble príncipe debía unirse en matrimonio a una doncella, hija de reyes, cuya alianza beneficiaría al reino!

Y los poderosos señores no tardaron en llegar a un acuerdo: Nicté-Há, la bella como humilde doncella, tenía que desaparecer irremisiblemente.

El Bufón de la Corte, un contrahecho, bizco y jorobado que amaba a su Señor y tenía noble corazón, no tardó en informar al príncipe de la decisión de los sacerdotes, por lo que Chacdziedzib, temeroso de la maldad de los representantes de los Dioses, ordenó a uno de sus fieles servidores fuera en busca de su amada y la introdujera ocultamente al Palacio Real, en donde al instante la tomaría por esposa.

Apenas el fiel guerrero había dejado la mansión real, cuando unos ojos fieros y unas manos asesinas cayeron sobre el mensajero dándole muerte y arrojando su cuerpo a la selva.

Sólo unos ojos vigilantes, los ojos del bufón, lo vieron todo y al instante corrió en busca de su amo y Señor informándole de lo sucedido.

El príncipe del Manto Rojo tomó su arco sin pérdida de tiempo y velozmente se dirigió al Cenote Sagrado.

Las sombras en torno de Ojo Divino eran espesas: ni un ruido, ni una luz. Chacdziedzib se acercó sigilosamente a la choza donde dormía su amada y toda la noche al amparo de las ceibas veló su sueño.

Los luceros empezaron a desaparecer en el cielo de cobalto y no tardó la aurora en abrir sus pfalos rosados, cuando Nicté-Há dejó su lecho y con el rostro inundado de alegría se dirigió al borde del Cenote.

Para saberse hermosa se miró en las aguas quietas; las flores de su collar eran lindas y perfumadas y el negro de sus ojos estaba saturado de pasión.

El príncipe se acercó a ella sin ruidos, estrechándola entre sus brazos. ¡No había sucedido nada malo! ¡Todo había sido una pesadilla! ¡Los Dioses amparaban su amor!

Ese amanecer Chacdziedzib desgranó al oído de su amada las endechas más dulces y más sentidas:

—La luna y el sol —le decía— son menos hermosas que tú.
Todas las flores de mi reino,
son menos hermosas que tú.

De pronto una sombra se deslizó tras del tronco de una de las ceibas sagradas y una flecha traicionera atravesó el pecho de la dulce como hermosa doncella.

Un grito de dolor rasgó el silencio del amanecer y un frágil cuerpo caía al agua, desapareciendo en el seno líquido del sagrado cenote.

El príncipe anonadado no comprendía lo sucedido. ¿Dónde estaba Nicté-Há? ¿Dónde?

Sus ojos agrandados por el terror miraron el agua del Cenote Divino, morada de dioses, y en la inmóvil sombra de la profundidad pudo descubrir flotando, el blanco vestido de Nicté-Há.

Un sollozo salido de lo más profundo del pecho, brotó de sus labios. Los pájaros que empezaban a trinar, enmudecieron, y las flores recién abiertas, levantaron sus tallos para intentar descubrir quién así sollozaba.

Después, deshecho de dolor y bañado en lágrimas, el príncipe imploró a los dioses:

—¡Oh dioses, que no se vaya, que no me deje! ¡No quiero perderla! ¡Tened compasión de mi dolor! ¡La amo tanto...tanto, que sin ella no puedo vivir! ¡Tened piedad de mi amor y no nos separéis! — y sus sollozos estremecían el bosque y el cielo.

Fue tanto su dolor que el corazón enchido de pena se hizo pedazos, cayendo al borde del Cenote sobre un charco de sangre, que le fluía de la boca sedienta de amor ¡El Príncipe Chacdziedzib, Señor de las Tierras del Mayab, agonizaba!

Los dioses que todo lo miraban, compadecidos, le escucharon, enviando en ayuda de los enamorados a Yuumchaac, Señor de las Aguas, y a Wayon, Señor de los Pájaros.

El Señor de las Aguas bajó a lo profundo del Cenote y aprisionando el cuerpo inerte de Nicté-Há lo convirtió en un hermoso loto. El Señor de los Pájaros posó sus manos sobre el corazón herido del príncipe y dándole alas lo convirtió en un hermoso pájaro rojo, en un delicado cardenal, siempre sediento de amor.

Y desde entonces, todos los amaneceres Chacdziedzib el Cardenal, el pájaro de púrpura, baja hasta el agua de los cenotes, y posándose sobre los cálices abiertos de los divinos lotos, le dice quedamente endechas de amor.

¡Ahora ya sabéis por qué el príncipe Cardenal y la doncella Flor de loto todas las auroras se besan, trémulos de amor!.

Príncipe Guacamayo

MAYA-QUICHÉ

Esto sucedió cuando la tierra estaba sólo habitada por dioses, y sólo había una luz confusa porque no había sol.

En aquel entonces existía un guacamayo muy vanidoso que a todo momento exclamaba:

—Yo soy el Sol, yo soy la Luna. Mi luz es grande. En mis ojos de metales preciosos resplandecen las gemas de las esmeraldas. Mis dientes brillan con esmalte de cielo, mi nariz resplandece a lo lejos como la Luna. Y la faz de la tierra se ilumina cuando yo avanzo hasta mi sitial con respaldo. Así, pues, yo soy el Sol, yo soy la Luna.

Los dioses desde el cielo contemplaban alarmados, tanta vanidad, y dijeron:

—No está bien que pase eso; ese hombre no debe de vivir allí, en la superficie de la tierra. Hay que castigarlo.

Brujito y Maestro que los habían estado escuchando propusieron:

—Trataremos pues, de tirar con cerbatanas contra su comida.

—Tiraremos con cerbatanas contra de ella, introduciendo en la misma una enfermedad, que pondrá fin a su riqueza, a sus jadeítas, a sus metales preciosos, a sus esmeraldas, a sus pedrerías, de las cuales se glorifica tanto.

—Los metales preciosos, no son motivo de gloria.

Y en verdad, Príncipe Guacamayo y su esposa ''la que se torna Invisible'',eran vanidosos. Y decían a cada momento:

—¡Vosotros! Heme aquí, yo soy el Sol.

Su hijo, Sabio Pez, aseguraba:

—Yo hice la Tierra.

—Yo sacudo el Cielo, trastornando la Tierra — gritaba Gigante de la tierra.

Brujito y Maestro Mago, en tanto, con sus cerbatanas al hombro, se dirigieron al árbol de Nanche de cuyas sabrosas frutas se alimentaba Príncipe Guacamayo; y entre el follaje se escondieron los dos dioses.

Cuando Príncipe Guacamayo empezaba a deleitarse saboreando la deliciosa fruta, Maestro Mago le plantó un cerbatanazo en la mandíbula, y Príncipe Guacamayo, cayendo del árbol, dio grandes gritos de dolor. Y sin dejarse coger, arribó a su casa.

Al verlo llegar, la que se torna Invisible, le preguntó:

—¿Qué te ha sucedido?

—Dos engañadores me han tiroteado con sus cerbatanas y me han dislocado las mandíbulas, y esto me hace sufrir mucho.

En tanto Brujito y Maestro Mago, fueron en busca de dos abuelos; la abuela estaba encorvada, completamente quebrantada por la vejez y se llamaba Gran Tapir del Alba; el hombre en cambio, estaba erecto como árbol escueto y se llamaba Gran Cerdo del Alba, y a ellos les pidieron Brujito y Maestro Mago, ayuda para castigar la soberbia del Príncipe Guacamayo.

Los ancianos aceptaron, dirigiéndose a casa de Príncipe Guacamayo, cuyos gritos de dolor atronaban la Tierra.

Cuando Príncipe Guacamayo vio a los ancianos les dijo:

—¿De dónde venís, abuelos?

—De muy lejos.

Y los dos ancianos, en silencio observaron a Príncipe Guacamayo. Estaba extenuado por los sufrimientos de sus dientes, y por ello hacía muchos esfuerzos por hablar.

Cuando los dolores eran muy fuertes, Príncipe Guacamayo suplicó entre quejidos:

—Yo os suplico, tened piedad de mi rostro. ¿Sabéis curar?

—Solamente sacamos los dientes de los animales; curamos los ojos— dijo el viejo.

Y la vieja aseguró:

—Componemos solamente los huesos.

—Muy bien. Curadme en seguida mis dientes, os suplico, que verdaderamente me hacen sufrir. Cada día no tengo reposo, no tengo sueño, a causa de ellos y de mis ojos. Dos engañadores me han herido con sus cerbatanas. A causa de ellos, ya no tengo reposo. ¡Tened piedad de mi rostro, pues todo se mueve....Ay....Ay....mis dientes!

—Muy bien jefe— respondieron los ancianos—. Un animal te hace sufrir. No hay más que sacar los dientes y cambiarlos.

Al oír tal cosa, el Príncipe Guacamayo se alarmó, preguntando apesumbrado:

—¿Será bueno quitarme mis dientes? Gracias a ellos soy Jefe; pues mis dientes y mis ojos son mi ornamento.

—Pondremos al instante otros -explicaron- huesos puros y netos.

—Muy bien— dijo el Príncipe Guacamayo, —si es así, quitadlos.

Entonces Gran Cerdo del Alba y Gran Tapir del Alba, le arrancaron los dientes de esmalte, sustituyéndolos con granos de maíz blanco que brillaban mucho menos en su boca, cambiando el aspecto de su faz y dejando de parecer Jefe.

¡Príncipe Guacamayo había perdido sus dientes de pedrería que eran su más preciado orgullo!

Y así los dos viejos, le fueron quitando las gemas de sus ojos, los metales preciosos de su plumaje y todas sus galas de Jefe.

Y cuando Príncipe Guacamayo había sido desposeído de todas sus hermosas riquezas, quedando feo y pobre, tanta fue su tristeza que murió de dolor.

¡Así habían castigado los dioses la soberbia de Príncipe Guacamayo!

El milagro de los dioses

MAYA

Los dioses creadores Un Ahpú —el poderoso dios zorro— Hun Ahpú Utiú —el poderoso dios coyote— zakuy Nima Tzyz —el gran jabalí blanco—, tenían para su recreo un hermoso paraíso allá en los montes de Paxil y Cayalá.

En esos maravillosos jardines que ellos llamaban Pan Paxil y Pan Cayalá se cultivaban las flores más extraordinarias, los árboles más bellos y los juncos más resistentes; pero en medio de esos bosques seculares, de la majestad de sus montañas y de sus ríos, los dioses tenían ocultas dos plantitas hechas de milagro: una era el maíz amarillo y la otra el maíz blanco.

Y para los hombres chanes culebras, los tucurub buhos, los aoq murciélagos, los quelenes papagayos, los balán tigres y los geh venados, no las descubrieran, habían ordenado al yac —zorro—, al utiú —chacal—, al kel —papagayo— y al hoh —cuervo— jamás descubrieran el secreto de los dioses, cuidando celosamente de los jardines celestes. Mas sucedió que el zorro, el chacal, el papagayo y el cuervo, temerosos de la astucia de los hombres, pidieron ayuda a los dioses Vgux Ché —corazón del espíritu del lago—, a Vgux Palo —espíritu del mar— a Vgux Kah —espíritu del cielo— a Vh Raxa Lac —el potente disco azul firmamento.

Mas Vgux —cielo— a su vez pidió ayuda a varias deidades secundarias; así, nombró a sus ayudantes vigilantes a Hurkán, el más grande de los semidioses, cuya voz era llamada Cakulha, es decir, el trueno. Este semidiós a su vez tenía varios servidores: Chipa Cakilha, el relámpago.

Vgux —espíritu de la tierra—, en cambio pidió ayuda a Chirakán, la que nombró entre sus colaboradores al dios del Terremoto.

Mas sucedió que a pesar de todas las precauciones tomadas por los dioses creadores y los dioses secundarios, un día Yac —el zorro—, iutiú —el chacal—, keel —el papagayo— y —hoh— el cuervo, fueron invitados al pueblo más cercano a Paxil y Cayalá, y en que habitaban los quelenes, y a mitad de la fiesta en que fueran pródigamente agasajados, indiscretamente hablaron del tesoro de los dioses y que ellos eran los cuidadores; y no sólo hicieron eso, sino que aceptaron que algunos mortales del pueblo los acompañaran hasta las sagradas Pan Paxil y Pan Cayalá.

Enterados los quelenes de la existencia asombrosa de esas plantas milagrosas, una noche de tormenta, sigilosamente se intrudujeron al paraíso celestial, y mientras sus guardianes dormían apaciblemente, ellos robaron esas misteriosas plantas, que eran el maíz silvestre.

El pueblo, al contemplar esas matas tan insignificantes, pensaron que los quelenes se habían equivocado al robarlas, ya que hubieran podido robarse el tesoro de los dioses, creyendo que era un fracaso ese robo, por lo que recurrieron a sus amigos el chacal y el papagayo, los que ante su angustia enseñaron a ese pueblo autóctono a cultivarlas, obteniendo con ello el maíz amarillo y el maíz blanco.

Y no tardó la noticia del milagroso hallazgo en llegar a los tuccurub —búhos—, los zoq —murciélagos—, los balán —tigres— ya a los geh —venados—, quienes al instante comprendieron que aquellas insignificantes plantas eran poseedoras del grano divino que constituirían su principal alimento.

Calahuit Pon

(incienso de los dioses)

MAYA

El árbol del incienso fue conocido desde antes de la Conquista. Se le conocía en el mundo náhuatl como Copalcahuil, que quiere decir precisamente Arbol del incienso, y su resina es el copal que diariamente se quema en las ceremonias religiosas de los templos.

El copal en las regiones mayas es conocido como Calahuit Pon. En el mundo prehispánico se quemaba profusamente en honor de todos los dioses de la Mitología, en las diferentes regiones del extenso territorio de nuestros antepasados.

Según Clavijero, los primeros misioneros adoptaron el copal inmediatamente que supieron de su uso, no sólo para las iglesias mexicanas, sino también para las del viejo continente, pues fue trasplantado el árbol a Europa, en donde se emplea su resina para perfumar el ambiente, así como en las ceremonias religiosas.

El Copalcahuil de los aztecas y el Calahuit de los mayas, a pesar de los siglos aún persiste; y es más, aunque ya no envuelve con su perfumado humo a los dioses de la antigüedad, hoy lo hace con la misma fragancia en áreas de otras deidades.

Esto sucedió en los albores de la historia de los pueblos, cuando la realidad y la leyenda se amalgamaban produciendo joyas valiosas de fantasía.

Fue en aquel entonces que existía una hermosa ciudad llamada Izmachi. Era una ciudad edificada sobre una colina, en que no se conocía la guerrra, ni revueltas, ni envidias, ni odios. ¡Allí todo era paz, grandeza y tranquilidad!

El rey de tan primitiva ciudad era sabio y bueno, humilde y soñador: se llamaba Iztayul.

Mas sucedió que un día Ilox, rey de un imperio cercano, envidioso de la tranquilidad y blancura de Izmachi, decidió matar a su rey y destruir la ciudad.

Cuando Iztayul lo supo sintió tristeza: él no quería la guerra, y por todos los medios a su alcance, quiso evitarla. Pero el rey Iloc, desoyendo súplicas y razones se dirigió bélicamente a Izmachi, e Iztayul no tuvo más remedio que defender su ciudad.

Encarnizada y cruel fue la lucha y el Destino quiso que Iztayul hiciera prisionero al rey Iloc y a muchos de sus guerreros, obteniendo así la victoria ¡Izmachi, la ciudad blanca y pacífica, se había salvado!

Por desgracia, el rey Itzayul y sus súbditos decidieron que en agradecimiento a sus dioses, había que sacrificar a los vencidos y fue tanta la sangre derramada, que los pequeños pueblos se atemorizaron.

Como si el color subido de la sangre los hubiera trastornado, el rey y los habitantes de Izmachi, cayeron en una era de crueldades, ambiciones y degradaciones.

El rey Iztayul, sabiéndose conquistador invencible, despreció su trono sencillo de rey bueno, cambiándolo por uno de respaldo labrado con dosel de plumas.

El que antes era príncipe soñador y poeta, dejó su traje austero de hombre santo, adornándose con piedras negras y amarillas, con garras y zarpas de puma, cráneo de jaguar y brazaletes de cascabeles y conchas.

Izmachi, la ciudad blanca, como su rey, también se transformó, porque sus habitantes ya no quisieron la tranquilidad de la paz, sino ansiaban el bullicio de la guerra, y ya no ofrendaban a sus dioses flores e insectos pequeños, sino sangre humana.

Tal vez por eso la mirada antes amorosa y dulce del rey se volvió torva, los rasgos de su rostro se endurecieron y los movimientos de sus manos, otrora suaves y generosas, adquirieron movimientos bruscos y despiadados.

Y la ciudad edificada sobre la colina perdió su blancura y su belleza. Pero no todo era horror y podredumbre en Izmachi, porque el rey Iztayul tenía un hijo llamado Ztayul, el que según los deseos de su padre, debería continuar sus glorias.

Los más notables guerreros eran sus maestros, y como prometida esposa había sido escogida la hija del desgraciado rey Iloc.

Pero Ztayul, que odiaba la guerra y era bueno y sabio, huía de los misteriosos recintos sagrados, olientes a sangre, y de las salas de palacio repletas de trofeos bélicos, para refugiarse en la umbrosidad de los bosques.

El rey Iztayul se sentía defraudado por la actitud melancólica y soñadora del príncipe, y lo creyó enfermo. Por eso fueron consultados los curanderos de más fama de todas las comarcas; pero ninguno de ellos pudo cambiar la tranquilidad del príncipe por la furia del guerrero; y el rey, defraudado en sus propósitos, envió al cadalso a todos aquellos que no lograron transformar el ánimo de su hijo. Ztayul, sin preocuparse de las iras de su padre, era feliz, muy feliz. Ztayul el príncipe, poseía un secreto.

Una noche, cuando regresaba de la solitaria cacería del venado, perdido en los laberintos del bosque, descubrió recostada sobre el tronco de añoso árbol a una lindísima joven.

El príncipe desde ese momento se prendió de la doncella, quien también le amó

Mucho tiempo pasó sin que el rey tuviera la menor sospecha de aquel idilio; pero una noche, en el preciso momento en que el Príncipe se disponía a salir de Palacio, su padre le salió al paso, prohibiéndole terminantemente salir sin comitiva; pero Ztayul, sin acatar el mandato real, salió en busca de su amada.

Cuando lo supo el rey, se encolerizó, ordenando a varios espías siguieran los pasos del hijo rebelde; no tardó en recibir información de los amores ocultos del príncipe heredero.

El rey nada dijo a su primogénito; pero noche después, seguido de un grupo de feroces asesinos, se internó en el bosque.

Como un arrullo eran las voces de los enamorados en esa noche clara; ¡qué importaban los designios de su cruel padre, si era feliz al lado de la amada¡ Esa noche, ambos, planeaban huir más allá de las colinas, yéndose a refugiar en una ciudad tranquila y buena, como antes había sido Izmachi. Allí, los dioses los protegerían dándoles la felicidad, ya que Pon la doncella, aseguraba ser de origen sagrado.

Cuando más entretenidos estaban en sus proyectos, un ruido los alarmó. ¿Sería un gamo solitario que correteaba por el bosque? ¿O acaso el vuelo de un ave que se acomodaba en su nido?

¡Pero nada de eso era! Tras la maleza, el rey Iztayul les espiaba. ¡Buen castigo recibiría el desobediente, y a ella, la que osaba amar al príncipe heredero, le esperaban los más espantosos tormentos!

Cuando las pisadas se hicieron perceptibles, Ztayul, alarmado, tomó de la mano a la dulce Pon tratando de huir; mas al instante surgieron multitud de sombras amenazantes que los iban cercando, cercando.

Un grito de espanto brotó de la garganta de la doncella de carnes perfumadas. El príncipe Ztayul de un salto colocóse frente a la doncella escudándola con su cuerpo, al tiempo que gritaba:

—¡Nadie se acerque a mi sagrada persona, soy el príncipe heredero!

Como si esa exclamación fuera un sortilegio, surgió de la maleza, fiero y arrogante, el rey Iztayul, quien esgrimiendo un puñal de obsidiana, con paso pausado se fue acercando a ellos.

Ztayul y la temblorosa Pon retrocedieron. El rey de Izmachi sonrió malignamente ¡Con qué deleite desgarraría poco a poco las carnes de esa mujer! ¡Con qué placer cegaría esos ojos maravillosos que habían hechizado a su hijo!

El rey Iztayul se acercaba amenazador; el príncipe y la doncella Calahuit Pon retrocedían; pero llegó el momento en que el tronco de un árbol los detuvo y ya no era posible dar un solo paso.

Pegado a su cuerpo, Ztayul adivinó tembloroso el cuerpo de la amada; la muerte era inminente; el rey seguía avanzando ante la expectación silenciosa de sus secuaces. El viril cuerpo del príncipe se estremeció al presentir los tormentos que le esperaban a la elegida de su corazón, y en el paroxismo de la desesperación, imploró:

—¡Oh dioses, salvad a vuestra hija!

Un espantoso ruido de ramas desgajadas se escuchó; el follaje sacudióse ante el asombro de todos, y el grueso tronco que había impedido la huida de la doncella y el príncipe, se fue abriendo y por su hueco desapareció la pálida doncella Calahuit Pon.

El rey, el príncipe y los vasallos quedaron inmóviles.

¿Quién era esa doncella misteriosa que los árboles del bosque habían salvado?

Comprendido el milagro, rey y vasallos se postraron ante el árbol misterioso, que desde esa noche lloró resina.

Esta es la leyenda del Copal, historia triste de un amor. Pero la doncella Calahuit Pon, a través de los siglos, aún ofrece enamorada, su alma perfumada, que incensa templos y altares.

Jaina la inmortal

MAYA

Un día, Tutul Xiu, gran caudillo de las tierras del Mayab, se había alejado de Campeche —lugar de culebras y garrapatas— donde era dueño de grandes extensiones de sembradíos.

Tan gran señor se alejó de sus dominios agobiado por los constantes disgustos que tenía con sus esclavos, sus familiares y sus vecinos, sobre todo por la rebeldía ofensiva de su hijo más querido que le causaba amarguras.

Por eso, a tal cúmulo de disgustos, se debía que se alejara de su hogar y de sus inmensas propiedades.

Por días y días se dio a recorrer bosques y aldeas, deseando encontrar la paz perdida, y fue por eso que llegó a esa playa desierta, cuyas aguas eran transparentes y azules.

Allí, bajo la sombra de unas palmeras, tomó asiento, y subyugado por la paz del lugar, por horas y horas contempló la inmensidad del mar.

Cuando iba a retirarse, una extraña mancha descubrió a lo lejos. ¿Qué cosa sería eso? ¿Acaso un lomo de ballena que inmóvil sobresalía del agua? ¿Qué era? Curioso miró aquella mancha oscura que parecía llamarle, y como buen nadador llegó a los arrecifes de rojo coral que formaban una extensa isla. Tutul Xiu tomó acomodo sobre esa maravilla de la naturaleza.

¡Qué paz! ¡Qué arrullo tan acogedor de las olas que suavemente llegaban hasta allí!

—Gran Ahau Ku [dios]; ¡qué bello refugio de paz has creado! ¡Qué feliz sería el hombre si pudiera aislarse aquí, y vivir una vida sencilla, sin odios y sin ambiciones!

Y cuando regresó a su hogar, a sus esclavos, a sus hijos y a sus riquezas, ya llevaba una idea fija en su mente.

¿Por qué no convertir ese macizo de coral en una verdadera isla en la que refugiara todas sus decepciones? ¡Y hasta en sueños pensaba que allí estaba su salvación! ¡Una isla perdida en el mar, que por siempre lo aislara de las maldades del mundo!

Y un día resolvió hacer realidad su sueño, y aduciendo un largo viaje comercial a tierras lejanas, dejó el Mayab.

Pocos fueron conocedores de su secreto; pero esos pocos eran los seres más puros, más sencillos y menos ambiciosos y egoístas. Por lo que seguido de esos seres seleccionados empezó el largo viaje que le condujera a esas playas solitarias, a ese mundo ignoto de coral.

Y ya allí, por meses y meses sus seguidores acarrearon tierra del suelo de Campeche, para rellenar la superficie de ese macizo coralino hasta formar una isla. Y cuando el sueño del poderoso señor Tutul Xiu fuera realidad, un día inolvidable dejó para siempre, sus riquezas, sus tierras, sus amigos y su familia para irse a vivir en esa isla lejana y oculta

¿Cómo se llamaría?

Entre los seres que llegaron con él había uno muy viejo; pero un gran artista, el que primero que nadie había dejado la barca y casi a nado llegara a pisar ese suelo desconocido rodeado de las aguas del mar, y quien erguido gritaba emocionado hasta las lágrimas: ¡Benditos los dioses que nos dan este milagro!, para luego caer de rodillas y besar esa tierra aún no hollada por ningún mortal. Y Tutul Xiu, que también emocionado con la alegría de ese viejo que se llamaba Jaino, ¡así se llamaría la isla!

Y así surgió Jaina.

Y aquellos hombres poseedores de maravillosas virtudes, pronto se establecieron en esa isla misteriosa que nadie conocía.

El señor Tutul era el más feliz, ya que llegaba allí con una nueva compañera, joven, bella e inteligente que se llamaba X Kalol —flor amarilla— y por primera vez en su vida, se sentía inmensamente tranquilo y feliz.

Y no tardó en ese paraíso surgido en la inmensidad del mar, un pueblo cuyos habitantes eran sanos de cuerpo y alma.

Aquella isla no tardó en vestirse de gala, no tardó en lucir la gallardía de los manglares, los silvestres papayos, los cocoteros, los zacates, pequeños arbustos y multitud de plantas silvestres.

Pero además, la joven isla Jaina tenía palomas, pelícanos, patos silvestres, lagartijas, coralillo, cascabeles, venados y gran cantidad de pájaros de pluma y trino.

¡Allí era un mundo de paz y grandeza!

Y porque todos eran hermanos y nadie envidiaba a nadie y eran grandes trabajadores, no tardaron en construirse templos y grandes edificios.

Entre los escogidos que habían seguido a su señor, se contaba He Men, el adivino y el curandero, el Chilán, adivino y profeta, y un sacerdote representante de Ahau Ku —dios supremo—, por lo que no tardaron en construirse templos al dios Chac —dios de la agricultura—, a Moh Ku —el gran dios—, a Yumchaac —señor de las aguas—, y como si fuera poco, grandes edificios y palacios

Pero entre los escogidos del señor Tutul Xiu, había llegado el esclavo Jaino, quien fuera el primero en pisar la tierra de esa isla misteriosa, a quien todos amaban por su bondad y sonrisa eterna. Pero aparte de su dulzura él, que había nacido entre la desembocadura de los ríos Zacpool y Sayazol descendía de una familia que toda su vida fuera alfarera.

Por eso, allí el barro en las manos del viejo Jaino adquiría elegancia y belleza.

Nadie como él para usar las tintas rojas, blancas, azules o amarillas

Jaino a pesar de haber sido esclavo, era un artista que a hombres y mujeres enseñaba su arte.

Y las figuras que él y sus ayudantes trabajaban, eran muy admiradas, pues modelaba a la perfección, los rasgos de las caras, el tocado, el peinado y el tatuaje.

También había hombres y mujeres que sabían tallar las piedras de Sílix, basaltos, obsidianas, corales y conchas.

Además casi todas las mujeres y los muchachos y jóvenes forjaban con caracoles marinos, pectorales, orejeras, punzones e instrumentos musicales.

Además labraban los huesos de venado y pájaros, con los que hacían hermosos aretes, orejeras y collares; pero la fabricación de mosaicos de turquesa era muy apreciada así como la de artículos confeccionados con plumas de todos colores, sobresaliendo por su belleza, los brazaletes, capas, abanicos y rodilleras.

Y la isla de Jaina prosperó a través de los años, aunque nadie sabía su localización. Los hombres que se constituyeron en comerciantes, llevando en sus canoas a lugares muy alejados esas obras de arte, hacían prosperar la isla, ya que llevando esas maravillas a lugares lejanos adquirían en trueque todo lo que necesitaban los habitantes de Jaina, todo lo tenían, pues esas figurillas tan bellas eran adquiridas en lejanos pueblos, los que siempre ignoraron el lugar de donde procedían.

Y los años pasaron y Tutul Xiu sintió que la vida se le escapaba, por lo que un día buscó a Jaino el viejo y le pidió escribiera en una placa de piedra blanca, muy blanca, con caracteres rojos, un pensamiento que perdurara a través del tiempo.

Y Jaino, presintiendo que ese hombre, creador de Jaina, pronto iba a dejarlos, aceptó darle gusto y una semana después, estaba terminada la placa del hombre que él tanto quería, la que según el deseo del señor Tutul Xiu sería colocada sobre su tumba.

La placa decía:

"Yo vengo de la Isla de los Muertos. De un mundo dulce, donde todo lo que termina vuelve a empezar. Y sólo vuelve para decir adiós, para ver ojos que no volveré a ver más. Pronto me iré de nuevo de la Isla de los Muertos y empezaré a vivir."

Tutul Xiu, no tardó en morir; pero tras él hubo generaciones y generaciones de felices seres.

Y a través del tiempo fueron famosas las figurillas de cerámica, moldeadas a mano, algunas muy pequeñas, sólidas y pintadas de azul.

Tutul Xiu hacía mucho que había muerto y sobre su tumba se leía lo que mandara escribir.

Las generaciones de hombres y mujeres buenos y trabajadores se sucedían y sumaron siglos que Jaina vivía feliz, muy feliz; pero un día fatídico, el He Men, dejó el templo del dios Ahau Ku y empezó a gritar con voz asustada:

—¡"Oh, habitantes de esta isla! ¡Oh descendientes de Tutul Xiu! ¡Los dioses nos han desamparado!"

"Anoche el dios Ahau Ku me habló y me ha dicho, que huyamos de Jaina porque una gran ola arrastrará la isla, haciéndonos desaparecer a todos nosotros."

"¡Oh, habitantes de Jaina, tenéis que huir de esta isla, dejarla sola y abandonada! El nos ordena no llevarnos casi nada, porque las barcas que nos llevarán a otras tierras desconocidas y lejanas, son apenas suficientes para nuestro traslado."

Al oír lo dicho por el He Men, asustados por lo que oyeran, se dieron a la tarea de enterrar todas sus pertenencias, sus obras de arte, las representaciones de sus dioses, y en un día y una noche fue desalojada la isla.

Han pasado los siglos, Jaina, la Isla de los Muertos aún existe, siendo una isla misteriosa, rodeada por las tibias languideces del mar Caribe., oyendo en su soledad la voz del gran señor que aseguró:

"Yo vengo de la Isla de los Muertos. De un mundo dulce, donde todo lo que termina vuelve a empezar."

Jaina está muerta; pero aún vive en sus exquisitas esculturas, que un día de terror fueron enterradas para volver a vivir; porque esas obras de arte, a travéz de los siglos han viajado por el mundo entero siendo muy admiradas y comparadas con las figurillas de Tanagra.

¡El tesoro de la misteriosa isla de Jaina aún existe!

Impreso en:
Heidel Impresos, S.A. de C.V.
Alhambra # 409
Col. Portales
03300 - México, D.F.
1000 ejemplares
México, D.F., Febrero, 1996